D1267887

LA CUCINA SECONDA

Les recettes de Rosa pour la naissance,
la mort et les éruptions du volcan

DU MÊME AUTEUR

La Cucina, *roman*, traduit de l'anglais par Marie-France Girod, Grasset, 2002.

Nectar, *roman*, traduit de l'anglais par Marie-France Girod, Grasset, 2003.

Ardente, *Un roman de l'enchantement*, traduit de l'anglais par Marie-France Girod, Grasset, 2005.

Cabaret, *roman*, traduit de l'anglais par Marie-France Girod, Grasset, 2006.

LILY PRIOR

LA CUCINA SECONDA

Les recettes de Rosa pour la naissance,
la mort et les éruptions du volcan

roman

Traduit de l'anglais par
FLORIANNE VIDAL

BERNARD GRASSET
PARIS

Photos de la jaquette :
© Droits réservés
© Getty Images.

ISBN 978-2-246-79135-5

À mon père, Mike

Prologue

J'eus beau protester, il continua de verser sur ma peau l'huile d'olive précieuse qu'il étala ensuite avec des gestes de pianiste. Puis il s'allongea sur moi et de son corps massa le mien. Échauffée par le frottement des chairs, l'huile diffusait dans la pièce ses arômes d'herbe coupée et de fleurs sauvages, de soleil et de pluie d'été. On n'entendait aucun bruit, hormis le claquement des peaux, son souffle alourdi par l'effort, mes gémissements de délice et, par moments, le chant diffus d'un coq ou l'aboiement d'un chien dans le lointain.

MENU

ANTIPASTI

(Hors-d'œuvre)

Chapitre premier

Derrière la barrière, la silhouette d'un homme penché, les bras croisés sur le portillon, dans une posture d'attente. Je sens son regard braqué sur moi. Ses yeux bleus étincellent. Comme autrefois.

« Suis-je à la bonne adresse, signorina ? » demande-t-il avec un accent britannique. Le sourire éclatant qui éclaire son visage illumine tout mon univers.

« Vous y êtes », réponds-je d'une voix que je reconnais à peine tant elle semble venir de loin.

Il était de retour.

Il m'était revenu. Je ne rêvais pas.

J'ai couru me jeter dans ses bras avec un tel empressement qu'il manqua tomber à la renverse. Les larmes qui ruisselaient sur mes joues recouvraient son image d'un brouillard salé. Avec des petits cris de joie, j'ai enfoui mon visage dans la douceur tiède de son cou. Je le gobai, m'emplis de son odeur, ce parfum enivrant que j'avais si souvent tenté d'évoquer pour me consoler, durant mes longues nuits solitaires, et qui maintenant m'enveloppait tout entière. Quelque chose chavira au fond de moi, dans cette zone de mon être, endormie depuis son départ. Ses bras m'entouraient, me serraient.

Je me fondais en lui. Fini la douleur de l'absence. Oubliés le manque d'amour, le désir inassouvi. J'ai laissé filer tout ce qui nous avait séparés pendant ces quatre années gâchées, j'ai déposé tous mes fardeaux et, sans eux, je me sentais légère, neuve, fragile.

« Je te croyais mort, sanglotai-je, pendue à son cou comme une lutteuse en pleine action.

— Je l'étais presque, répondit-il. Dieu, que tu m'as manqué, femme. »

La bouche collée à sa peau, je l'ai léché. Pour le goûter. Le rendre réel. Bien à moi.

Nous nous sommes embrassés, ou plutôt dévorés mutuellement, donnant libre cours à la passion trop longtemps bridée. Ce baiser raya d'un trait notre séparation et ressuscita ce qui nous avait liés. Nous étions de nouveau réunis. Rien d'autre ne comptait désormais.

Maintes fois, j'avais tenté d'imaginer cet instant. Et voilà qu'était venu le temps des retrouvailles, curieux mélange de banalité et de magie. L'objet évanescent de mes fantasmes était redevenu un être de chair et de sang, mais c'était aussi un dieu : la seule personne sur terre capable d'incarner la quintessence de mon désir. Comment pouvait-il être à la fois homme et dieu ? Je l'ignore mais c'était ainsi.

De loin, nous parvinrent des gloussements, des bavardages, des braiments, des aboiements. Rosario avait hissé les triplettes sur son mulet. Ensemble ils franchirent le portillon, suivis par les chiens.

« On ne fait que passer », lança Rosario.

Les petites Rosa se cachaient les yeux tout en épiant entre leurs doigts minuscules l'étranger qui étreignait leur tante, au milieu de la cour.

Une substance collante salissait le visage de l'Inglese. D'abord perplexe, j'ai vite reconnu la matière qui suinte du riz au fromage dont on fait les *arancine*, un plat que je venais de préparer avec l'aide des fillettes. J'avais dû l'en tartiner en me frottant à lui. La vie normale, cette vie que je menais avant son retour, me paraissait déjà si lointaine.

Je ne sais plus très bien s'il m'a portée jusque dans la maison, ou si c'est moi qui lui ai fait grimper les marches sans qu'il touche terre. Toujours est-il que nous nous sommes retrouvés dans la cucina. Et quand j'ai réalisé que j'étais en train de le faire entrer chez moi, j'ai de nouveau fondu en larmes.

« C'est exactement comme tu le décrivais, dit-il en regardant autour de lui tandis que ses doigts exploraient délicatement le bois lustré de la grande table. J'ai l'impression d'être déjà venu. »

Oubliant toute timidité, bien déterminée à mener le jeu, je l'ai coincé contre la table et, doucement mais fermement, l'ai culbuté sur le tapis neigeux où la farine se mêlait aux copeaux de parmesan et autre zeste d'orange. Retroussant mes jupes, j'ai sauté sur lui, belle performance pour une femme de ma corpulence et de mon âge.

Les pieds de la table ont poussé un gémissement presque humain mais ils ont tenu bon. Je savais que je ne risquais rien. Cette table formait le centre vital de la famille Fiore et, à ce titre, elle en avait vu de pires.

« Très bien, je me rends ! s'esclaffa-t-il en levant les mains. Fais de moi ce que tu veux. »

Je fondais sous ses baisers. Je les sentais investir tous les replis de mon corps. Rien d'autre n'existait que nous deux, sur cette table de cuisine aussi vaste que le monde. Ses lèvres, sa langue faisaient vibrer une corde enfouie au plus profond de mon ventre. J'avais terriblement envie qu'il me pénètre. Je ne pouvais attendre. C'était hors de question. Je voulais rugir, crier, hurler, expulser une bonne fois le désespoir et l'impatience qui m'avaient habitée.

Quand j'ai lâché son visage, j'ai vu la marque de mes mains sur ses joues. J'ai cherché les boutons de sa chemise mais pas pour les défaire. Sûrement pas. Je voulais les arracher, les faire gicler comme des projectiles pour qu'ils s'éparpillent en pluie sur le sol de pierre et rebondissent au loin, dans des recoins sombres où ils demeureraient introuvables pendant de longues années. J'ai déchiré sa chemise, le long de ses bras, sur sa poitrine. Une cicatrice apparut, une zébrure rouge que je ne lui connaissais pas. Mais le moment était mal choisi pour l'interroger.

Sous mes doigts, sa peau était tiède, douce, poilue, adorable. Je l'ai couvert de baisers, je l'ai grignoté, mordillé. Tout doucement.

Quand il m'a enlevé mon tablier, j'ai cru mourir étranglée. Ensuite, il a déchiré ma robe. Si j'avais su, j'aurais mis des dessous plus affriolants. Mais comment aurais-je pu deviner ?

Son pantalon m'a donné un peu de mal. Comme d'habitude, la ceinture était bien trop serrée, la boucle résistait, mais dans l'état d'excitation où je me trouvais, aucun obstacle ne pouvait m'arrêter. J'empoignai, je tirai, j'arrachai et enfin, il apparut au grand jour, magnifique, prêt à me servir.

Une fois débarrassés des derniers lambeaux de ma robe, nous nous sommes attaqués au corset mais pas avec un couteau, comme nous l'avions fait autrefois. Celui que je portais à présent était si vieux et distendu qu'il se rendit sans opposer trop de résistance.

Je me suis installée à califourchon sur lui en me tortillant pour assurer ma position et quand il m'empala, le hurlement de plaisir qui jaillit de moi contenait toute mon histoire : la joie et la peine, le triomphe et l'extase. Ce fut mon heure de gloire.

Chapitre deux

En Sicile, nous avons un dicton : *le prix du bonheur est la mort*. Très vite, je dus reconnaître une fois de plus le bien-fondé de la sagesse populaire. Cette nuit merveilleuse serait aussi la plus épouvantable.

Guerra et Pace ne rencontreraient jamais l'Inglese. J'en concevais une infinie tristesse. Pace délirait. Je voyais le voile de la mort fondre sur lui. Son sang giclait par saccades sur la veste de satin rose, étrennée le matin même et dont les garçons étaient si fiers.

C'était atroce : Guerra gisait inerte, blanc comme cire, et le pauvre, pauvre Pace s'éloignait de nous un peu plus à chaque seconde, sans qu'on puisse rien faire pour le retenir.

Évidemment, un lit de mort n'est pas l'endroit idéal pour présenter son amant à sa famille.

Comme dans les films de gangsters, les fils de mon frère Giuseppe, Nevio, Renzo et Audace criaient vengeance. Avec des têtes brûlées comme eux, il fallait s'attendre au pire.

Les dix enfants de Giuseppe tiennent de leur mère Pervinca dont la famille se compose essentiellement de brutes épaisses. Mamma lui avait pourtant déconseillé de se lier au clan des Rospo, mais comme Nevio était en route, Giuseppe n'avait pas eu le choix. S'il ne l'avait pas épousée, le père de Pervinca et ses frères l'auraient donné en pâture aux cochons. C'était dans leurs habitudes, manifestement. Comme leur clan comprenait pas mal de filles, on avait déjà vu disparaître plusieurs amoureux indécis de manière aussi définitive qu'inexpliquée. Après avoir perdu le sien, l'aînée de la fratrie, Serenita, s'était jetée dans le puits. Personne n'ayant pu l'en extraire, elle avait mis une semaine à mourir. À en croire le vieux Nero Rospo, la chair humaine donnait à ses cochons une saveur inimitable.

Pauvre Biancamaria Ossobucco. La douleur lui avait fait perdre la raison. Tantôt, elle s'écroulait, tantôt elle sanglotait comme une enfant et, l'instant d'après, courait partout en s'arrachant les cheveux, en battant l'air de ses poings, en hurlant :

« Mais faites quelque chose ! Sauvez-le ! Pour l'amour de la Madone. »

Hélas, il n'y avait rien à faire. Les triplettes qui dormaient se réveillèrent en sursaut et, voyant leurs pères alités, voulurent les nourrir de miel en glissant de force une cuiller entre les lèvres mortes de Guerra et celles à peine plus réactives de Pace agonisant.

« *Babbi*. Manzez ! Manzez ! zézayaient les trois gamines. Un petit bout de gâteau de miel et vous aurez de beaux cheveux bouclés. »

Cette scène m'en rappela une autre lorsque, petite fille, j'avais tenté de ressusciter Nonno Fiore avec une assiette de *panelle* tout juste sorties du bain de friture.

Ô mes pauvres petites colombes ! Mes frères chéris !

L'Inglese se tenait en retrait, l'air gêné. Je crois qu'il aurait aimé disparaître dans le mur derrière lui. De temps à autre, je lui jetais un coup d'œil à travers les essaims humains qui affluaient et refluaient comme une marée : les cinq frères qui me restaient, plus mon nouveau frère Mauro, un échantillon de leurs épouses et la plupart de mes soixante neveux et nièces, vingt-sept petits-neveux et petites-nièces, sans parler des oncles, tantes, cousins, amis de la famille, voisins, collègues, badauds, curieux, mendiants et voleurs. L'Inglese ne cessait de consulter le miroir à la dérobée ; il semblait s'inquiéter de ses cheveux, plus clairsemés qu'autrefois.

Personne dans la foule ne lui prêtait attention mais chaque fois que je l'apercevais, je recevais un choc. C'était comme dans ces rêves où s'entremêlent diverses périodes de la vie. Il était là. Il était revenu. Il était vraiment là. Avec toute ma famille. Et pourtant nous étions séparés par un gouffre. Mes frères, l'un mort l'autre mourant, étaient mon unique préoccupation pour l'instant. Lui et moi passions en second.

À chaque gémissement du pauvre Pace, la foule répondait par un cri. Malgré les bons soins du docteur Leobino, on voyait bien qu'il n'y avait plus aucun espoir.

Le Padre Francesco, devenu complètement sénile, passait entre les groupes en bavant et en faisant des gestes obscènes de ses mains tremblantes. Nous ne sommes pas très pieux dans la famille mais plusieurs de mes belles-sœurs furent si outrées par son comportement qu'elles résolurent de se plaindre à l'évêque. Encore que ce genre de démarche n'eût servi à rien : l'évêque et le curé étaient de vieux amis, plus que des amis même, si l'on en croyait les rumeurs qui couraient dans la région. Le problème se réglerait de lui-même quelque temps plus tard, mais nous en reparlerons.

À quatre heures du matin, comme le jour allait poindre, mes nièces Amoretta, Etna et Maria Maddalena firent passer une collation : café chaud bien corsé, coussins aux amandes à peine sortis du four et petits gâteaux de Savoie garnis d'une cuillerée de confiture de pêches de l'année.

Ceux qui sommeillaient se réveillèrent pour casser la croûte, les bébés se mirent à brailler, tandis qu'une meute de chiens errants, entrés par les portes ouvertes, se joignaient à eux en hurlant à la mort.

Ayant bu plus que de raison, la plupart des hommes et des jeunes gens commençaient à s'échauffer, à se chercher querelle. Quant au malheureux Pace, dont la peau huileuse virait au gris, il s'éloignait toujours plus du tumulte qui l'entourait.

J'avais tant de choses à lui dire, à leur dire à tous les deux. Finalement, quand vint mon tour et qu'on me poussa à leur chevet, mon esprit était si confus que j'ai gargouillé quelque chose, j'ignore quoi, mais j'espère leur avoir dit que je les aimais comme une mère depuis le jour de leur naissance, et que je chérirais les petites Rosa de la même manière, jusqu'à mon dernier souffle.

À cinq heures, la mule d'Ippolito Brolese se mit à braire, les deux canaris sur le balcon à pépier, Pace expira et tout le monde éclata en sanglots.

Mes frères adorés n'étaient plus de ce monde.

Chapitre trois

Le docteur Leobino referma sa sacoche et tandis que je le raccompagnais, me conseilla :

« Tu devrais te passer de la lotion à la calamine sur le visage, Rosa. »

Un coup d'œil dans le miroir confirma que mes joues étaient aussi rouges qu'un steak haché cru. Mais je n'avais pas le temps d'avoir honte.

Quand la foule finit par se disperser, j'aidai Biancamaria Ossobucco à préparer les dépouilles pour l'enterrement. À vrai dire, mes frères se décomposaient déjà car nous étions au cœur de l'été. Il faisait une chaleur de four dans cette pièce et le pauvre Guerra avait rendu l'âme depuis plusieurs heures. Il fallait agir vite.

Pour être tout à fait sincère, Biancamaria Ossobucco était plus une gêne qu'autre chose. Comme elle s'évanouissait toutes les cinq minutes, je devais lâcher mon travail pour la ranimer. Je giflais ses joues marquées par la petite vérole et, quand cela ne suffisait pas, je promenais un flacon de sels affreusement nauséabonds sous ses grosses narines.

Une fois retirée la chemise ensanglantée collée à la plaie noircie qui béait dans leur poitrine, nous vîmes que le couteau avait transpercé Guerra de part en part. Cet affreux spectacle me révulsa tant que je craquai à mon tour. Mes chers frères. Massacrés. Pourquoi ?

Nous les avons lavés, séchés, frotté leurs visages collants de miel. Puis nous les avons rasés (une barbe hirsute leur mangeait déjà le menton ; chez nous, les poils, comme ce qui sort de terre, poussent vite, longs et drus) et coiffés en lissant leurs cheveux avec de la pommade, comme ils aimaient le faire de leur vivant. À la suite de quoi, nous les avons revêtus de leur costume de mariage pour qu'ils soient aussi beaux qu'en ce jour d'allégresse remontant à moins de quatre ans. Il leur allait un peu serré. Nous avons fait semblant de ne pas remarquer le craquement qui retentit au moment où nous leur passions le pantalon ; après avoir bataillé pour boutonner la veste et le gilet, nous avons pu constater qu'ils avaient fière allure.

« On dirait des jeunes mariés », se lamentait Biancamaria Ossobucco en se mordant les poings jusqu'au sang.

Sur ces entrefaites, l'énorme cercueil fit son apparition. Ernesto Tombi, le croque-mort municipal, était devenu un commerçant prospère. Il avait même développé son affaire.

Pendant les années qui suivirent la guerre, les habitants de la région ont connu des temps difficiles. Beaucoup mouraient prématurément mais, malgré leur grande pauvreté, les familles trouvaient toujours de quoi payer les enterrements. Les gens d'ici ont ceci d'étrange qu'ils s'obstinent à honorer leurs morts quitte à laisser les vivants mourir de faim, tout ça pour préserver les apparences.

La misère pousse au crime et le crime engendre un climat de violence général. Les bandits des collines se faisaient plus audacieux, plus sanguinaires, si bien que les braves gens des campagnes s'équipaient d'armes en tous genres. Il n'était pas rare de voir des vieilles conduisant leurs bêtes au marché vaciller sous le poids d'une antique arquebuse ou d'un gourdin.

De plus en plus, les querelles de territoire entre clans mafieux débouchaient sur des drames ; à nouveau, des personnes disparaissaient sans laisser de traces, comme autrefois mon pauvre papa chéri (je le considérerai toujours comme mon papa même si mon vrai père, Rosario le simple d'esprit, est encore bien vivant), ce qui entretenait la terreur parmi la population.

Apparemment, tout le monde recevait des « avertissements » ; c'était devenu monnaie courante bien que la plupart du temps le destinataire ignorât ce qu'il avait fait pour mériter cela. La semaine précédente, Manlio Estivo, l'homme qui passe sa vie assis sous le palmier près de la fontaine publique, sur la place du village, avait reçu par la poste un pied humain enveloppé dans du papier-cadeau. Il eut beau se presser le citron, il n'a toujours pas compris pourquoi. Après tout, comme il le répète à tous ceux qui veulent bien l'écouter, il est né lors de la fête d'*Ognissanti*. Une autre fois, la famille Pinci a trouvé la tête de leur mulet Vito en train de rôtir dans le four à pain. Oui, ce genre de choses arrivait tout le temps, à cette époque.

Les citoyens ordinaires n'ayant plus rien à perdre, leur colère menaçait d'exploser à tout moment, comme la lave sous la croûte du volcan. C'était cette rage, attisée par une horrible coïncidence et un regrettable malentendu, qui avait conduit Bino Forbicina, un homme fort pacifique par ailleurs, à commettre cet abominable forfait.

Ainsi donc, au milieu de cette misère, Ernesto Tombi tirait allègrement son épingle du jeu. On racontait qu'étant jeune, il avait voulu me passer la bague au doigt. Or, à l'époque, mon cœur appartenait à Bartolomeo. Après que sa mort tragique m'eut poussée à fuir le village, Ernesto Tombi ne tarda pas à épouser Piccarda Oleoso, propriétaire d'une moto avec side-car, une nouveauté dans la région. Dans un premier temps, le jeune couple sillonna les routes en soulevant des nuages de poussière. Cette période insouciante prit fin avec la naissance d'une ribambelle de filles.

N'ayant pas de descendant mâle, Ernesto fit entrer ses filles dans l'entreprise familiale, chose inhabituelle en ce temps-là. Bien lui en prit. La grande Rita est désormais une excellente menuisière ; son œil exercé la dispense de sortir son mètre à enrouleur. Pour nous rendre service, dès que s'est répandue la nouvelle du demi-meurtre, elle s'est dépêchée de rejoindre son atelier. À présent, avec l'aide de la petite Pina, affligée d'un pied bot (et faisant office de réceptionniste et de chef de cortège), de Marziana (tailleuse de pierre) et de Rea Silvia (comptable), elle hissait le résultat de sa nuit de travail en haut des marches de la maison.

On autorisa les triplettes à disposer les fleurs qu'elles avaient cueillies dans le jardin. Les petites pressaient entre leurs bras maladroits des gerbes écrasées de bougainvilliers, de chèvrefeuille, de marguerites, d'œillets d'Inde et de lavande. Rosina voulut mettre un escargot dans le cercueil, Rosita une poignée de gravier et un oisillon mort tombé du nid, la petite Rosa un gâteau à la ricotta. Biancamaria Ossobucco intervint à temps, ce qui déchaîna une tempête de hurlements et de trépignements, comme toujours quand on les contrariait.

Bien sûr, elles ne comprenaient pas que leurs pères étaient partis pour toujours. Elles demandaient tout le temps quand leurs *Babbi* se réveilleraient pour s'amuser avec elles. Pendant des mois, et même des années, elles ont continué à m'interroger, espérant que leurs *Babbi* se relèveraient de leur jolie boîte en bois pour jouer à la princesse, à la poupée ou aux petits chevaux.

Chapitre quatre

À peine avions-nous quitté la maison pour le cimetière qu'un étranger se présenta devant la foule endeuillée, interrompant la procession. Soi-disant mandaté par un institut ou une quelconque académie, il voulait en réalité acheter les corps pour les exhiber dans une baraque foraine. Un autre inconnu, qui comptait les utiliser pour des expériences médicales, s'interposa. Un troisième représentait un musée, à l'en croire. Ils ont commencé à se chamailler tous les trois puis ils en sont venus aux mains.

Pendant qu'ils roulaient dans la poussière, Audace surgit de nulle part, armé d'un énorme hachoir à viande. Les importuns prirent leurs jambes à leur cou. Trop de sang avait déjà été versé. Ce garçon allait mal finir, j'en étais convaincue. Tirant leçon de ce sinistre événement, mes frères décidèrent de monter la garde près de la tombe car, même une fois enterrés, nous savions que les jumeaux ne seraient pas en sécurité.

Nous avons donc traversé le village derrière le cercueil. Plus nous avancions, plus le cortège s'allongeait. Au bout d'un moment, on eût dit que tous les habitants de la région s'étaient donné rendez-vous.

Pour certains d'entre eux, je ne les avais pas vus depuis des années, pour d'autres depuis l'école. Il y en avait même que je croyais morts depuis belle lurette. Les commerçants avaient fermé boutique en signe de respect. Des journalistes, des photographes apparurent et entreprirent de nous mitrailler. Ensuite, des articles sortirent dans tous les journaux et magazines, jusqu'à Chicago. C'est ainsi qu'Aventina Valente apprit la triste nouvelle car personne n'avait songé à la prévenir. Je possède encore les coupures de presse, classées dans mon album. Sur l'un des clichés, un peu flou et jauni par le temps, on aperçoit même l'Inglese. Je suis toujours étonnée de le voir en photo ; de constater qu'il était une personne en chair et en os et pas juste un être fantomatique surgi de mes rêves enfiévrés.

Comme il est de coutume lors des funérailles, les cloches sonnaient depuis l'aube. Tandis que la procession serpentait sur la colline en direction du cimetière, on entendit un craquement pareil à un coup de tonnerre puis un grand bruit métallique évoquant des cloches qui se brisent. Le fracas laissa place à un silence surnaturel, annonciateur d'apocalypse.

Dans les pâturages voisins, les vaches commencèrent à mugir, toutes les mules de la région à braire, les chiens à aboyer et les oiseaux prirent leur envol en énormes grappes emplumées qui repeignirent le ciel en noir. Les gens se signèrent. Les plus croyants tombèrent à genoux en égrenant leur chapelet. Que se passait-il ? Le volcan allait-il entrer en éruption ? Devait-on redouter un autre glissement de terrain ? Un tremblement de terre ? Un bombardement ? Une autre guerre était-elle déclarée ?

Quand nous eûmes atteint le sommet de la colline, nous trouvâmes le sacristain, le vieux Porcu le Sarde, en pleurs au milieu d'un épais nuage de poussière blanche. Les larmes traçaient des lignes sur son visage couvert de terre. Cela faisait des années qu'il mettait en garde le *Padre*, dit-il entre deux sanglots. Les poutres du campanile étaient rongées par les termites mais le *Padre* soutenait que les termites étaient des créatures de Dieu. Ce matin-là, avant d'aller creuser la tombe, Porcu avait supplié le curé de ne pas faire sonner les cloches avec trop d'enthousiasme mais bien sûr, Padre Francesco n'en avait fait qu'à sa tête et s'était suspendu aux cordes avec plus de vigueur qu'à l'accoutumée. Comme elles étaient rongées de l'intérieur, les poutres s'étaient bien entendu brisées, entraînant dans leur chute la grande et la petite cloche qui tombèrent sur le prêtre. Pour se remonter le moral, Porcu répétait que le curé était mort sur le coup et qu'il n'avait pas souffert plus qu'on ne souffre quand on reçoit plusieurs tonnes de bronze sur la tête.

« C'est un présage, clama Vereconda, la femme de Leonardo qui, prise d'une crise de palpitations, dut s'asseoir sur le monument funéraire alambiqué de l'orgueilleuse famille Botti.

— Un châtiment, ça c'est sûr, intervint Crispo Domani, le marchand de tickets de loterie.

— Quel châtiment ? s'enquit Bullo le colporteur qui, profitant de l'aubaine pour vendre aux plus superstitieux ses porte-bonheur, reliques saintes et autres amulettes, étalait déjà sa camelote sur la tombe des *fratelli* Farneti.

— Ce que je ne comprends pas c'est pourquoi le Seigneur a attendu si longtemps pour écraser ce pédéraste, déclara Dino Plotti le charretier.

— Amen, conclut ma nièce Petronilla tout en éventant sa mère avec une couronne mortuaire. Zia Rosa, qu'est-ce que tu as sur la figure ? Et ton cou ? Je n'ai jamais vu de piqûres de moustiques aussi affreuses. »

Je lui ai lancé un regard de ma composition. Certes, je n'avais aucune affection pour ce curé et je doute que quiconque, à part le vieux Porcu, ait ressenti à son égard autre chose que du mépris, mais sa disparition soudaine posait problème. Nous devions enterrer Guerra et Pace et il n'y avait pas d'autre prêtre à des kilomètres à la ronde.

Nous avons fait une pause pour décider de la conduite à tenir. Reporter l'inhumation était hors de question. Le soleil à son zénith dardait ses rayons sur le cercueil posé dans l'allée de gravier, des joints duquel une substance non identifiée suintait. Nous faisions tous semblant de rien mais ceux d'entre nous qui se tenaient près de la bière se protégeaient le nez avec leur mouchoir quand ils ne vomissaient pas. En y repensant, je me disais qu'il aurait mieux valu choisir un cercueil en plomb mais, comme la grande Rita l'expliqua, elle aurait dû faire venir le plomb du continent, ce qui nous aurait encore retardés d'une semaine au bas mot.

Harcelés par des nuées de mouches enragées, décimés par les coups de soleil et les évanouissements, certains endeuillés suggérèrent qu'on les enterre sans le secours d'un prêtre. D'autres estimaient que le maire, Don Cino Gusto, pourrait fort bien le remplacer au pied levé. Mais l'édile craignait d'outrepasser son autorité, d'encourir l'excommunication et d'être damné pour l'éternité. En plus, c'était l'heure du déjeuner et sa femme, la redoutable Donna Rea Reparata, allait piquer une de ces rages si la *pasta* refroidissait. Bref, il devait y aller.

Nous tournions en rond. Fatiguée, affamée, la nombreuse marmaille avait commencé à se battre, à balancer des cailloux, à se rouler dans la poussière.

Biancamaria Ossobucco, qui s'était retenue jusqu'à présent, frisait de nouveau la crise d'hystérie, le retard et la malchance accumulés ayant eu raison de son équilibre nerveux.

À force d'être chahutée et bousculée par la foule, ma nièce Perpetua ressentit les premières contractions. Elle hurlait de douleur quand on l'emmena chez sa belle-mère Concettina Capone, celle qui avait une grosseur de la taille d'un œuf derrière la tête.

Pour faire cesser cette gabegie, j'aurais volontiers pris en main les opérations. Dieu sait à combien de funérailles j'ai pu assister, au cours de mon existence. Autour de moi, les portraits de mes chers disparus me fixaient depuis leur pierre tombale ; j'étais certaine de pouvoir me passer des services de l'Église.

J'en étais là de mes réflexions quand une voix évoqua le nom d'Ettore. Je crois que c'est Rosario qui a eu le premier cette idée géniale mais personne ne fait jamais attention à ce qu'il dit. Puis quelqu'un d'autre hurla au-dessus du vacarme :

« Évidemment, Ettore n'a qu'à s'en charger.

— Où est Ettore ? »

Je dois vous expliquer qu'Ettore, mon neveu, le fils de mon frère Salvatore et de Ninfa, la première de ses quatre épouses – à l'époque où je vous parle –, est le seul dans l'histoire de la famille à avoir étudié pour devenir prêtre. Par le fait même, beaucoup le considéraient comme une sorte de curiosité ; une sainte curiosité mais quand même. Durant les deux dernières années, il avait suivi les cours du petit séminaire à Catane et, après les vacances d'été, devait partir pour le grand séminaire de San Didimo della Pantofola à Palerme où il préparerait son ordination.

On trouva le pauvre jeune homme dans la chapelle. On l'amena *manu militari.* On l'affubla de quelque antique chasuble retrouvée par Porcu au fond d'un placard de la sacristie. Il eut beau proclamer qu'il n'était pas encore habilité à administrer les sacrements, nul ne voulut rien savoir. Nous n'avions sous la main personne ressemblant plus à un prêtre que lui, et même si tout ne s'est pas passé absolument dans les normes, je suis sûre que le Seigneur nous aura pardonnés. Nous avons fait de notre mieux, étant donné les circonstances.

Le service funèbre se poursuivit donc, avec le jeune Ettore dans le rôle du curé. Je dois dire qu'il s'en acquitta fort bien et que nous étions fiers de lui.

Finalement, mes deux frères chéris furent placés dans leur tombe.

Nous étions sur le point de ramasser chacun une poignée de terre sur le monticule d'à côté quand Biancamaria Ossobucco se précipita sur le cercueil et se coucha de tout son long en hurlant, en martelant le couvercle avec les poings. Elle nous suppliait de l'ouvrir pour qu'elle puisse s'allonger à l'intérieur, avec feu ses maris.

J'aurais aimé qu'elle s'abstienne, à cause des triplettes. Pour des petites filles, il n'est pas sain de voir leur mère se laisser ainsi aller au chagrin. Deux secondes plus tard, voilà que Rosario la rejoignait dans la fosse, tâchant de la réconforter comme un simple d'esprit peut le faire. Nous en eûmes le cœur brisé.

J'ai supplié Biancamaria Ossobucco de se reprendre, pour l'amour de ses enfants, de remonter à la surface et de tenir sa place parmi les vivants, car son heure n'avait pas sonné. Les petites Rosa qui, entretemps s'étaient crottées de la tête aux pieds en faisant du toboggan sur le monticule de terre, réalisèrent soudain que les adultes se comportaient bizarrement. Croyant qu'il s'agissait d'un nouveau jeu, elles se précipitèrent dans la tombe et entreprirent de marteler le cercueil de leurs poings minuscules.

Après cela, la terre desséchée entourant la fosse se mit à s'affaisser. Zio Pietro Calzino, le frère de ma mère, qui venait de célébrer son cent quatrième anniversaire et qui était venu spécialement d'Adrano où il habitait, fut vite englouti jusqu'au cou. Aussitôt, la panique se répandit dans l'assistance. Les gens d'ici craignent les glissements de terrain pour avoir vécu la catastrophe de 1941 où nombre de nos concitoyens ont trouvé la mort. Tant et si bien que le troupeau des endeuillés se rua en grand désordre hors du cimetière.

Les quelques personnes restées sur place se dépêchèrent de creuser la terre avec les doigts pour libérer Zio Pietro. Mais quand mon frère Mauro réussit à le hisser hors de la fosse, il était trop tard. Le vieil oncle avait perdu le goût de vivre.

« La tombe me réclame, gémissait-il faiblement. Mon heure est venue. » Et, sur ces simples et bonnes paroles, il s'allongea par terre, croisa les bras sur sa chétive poitrine et mourut.

C'est alors que le troupeau de chèvres déboula. Elles commencèrent par brouter Zio Pietro et les autres ancêtres bancals, puis s'attaquèrent aux ornements floraux. Simple Fogna, le garçon de berger, demeurait invisible, et cela valait mieux pour lui.

Chapitre cinq

Décidément, ces funérailles resteraient gravées dans toutes les mémoires.

Cette nuit-là, je rentrai à la *fattoria* dans un état pitoyable. J'avais le cerveau en bouillie. Quant à mon corps, il ne valait guère mieux. Je n'étais que douleur : mes dents, mes lobes d'oreilles, mes cheveux, même mes ongles me faisaient mal. J'avais balancé dans un coin mes chaussures de deuil et depuis, je les considérais d'un œil morne. Elles me rappelaient tous les cortèges mortuaires que j'avais pu suivre au cours de ma vie.

L'Inglese me débarrassa de mes vêtements poussiéreux, m'allongea sur le lit à plat ventre et vida sur mon dos une bouteille presque entière de notre meilleure huile d'olive. La sensation de fraîcheur humide qui m'envahit alors produisit sur moi un choc salutaire, m'extirpant de l'hébétude où j'étais tombée.

« Qu'est-ce que tu fais ? m'écriai-je consternée. La meilleure huile ! Première pression ! » Puis, après un instant de réflexion : « Les draps !

— Ne sois pas si terre à terre, signorina, s'écria-t-il. Ne te tracasse pas pour ton huile. Peu importe les draps. Essaie de te détendre un peu. Tu as juste besoin d'un bon massage. »

Lentement, délicatement, ses doigts s'activèrent sur mon crâne. Peu à peu, leur pression rythmique apaisa mon pauvre cerveau meurtri. Puis ces mêmes doigts caressèrent mes oreilles jusqu'à ce qu'elles oublient leur douleur et, quand ce fut fait, ils s'aventurèrent vers le cou et les épaules dont les muscles étaient noués comme de vieux cordages. Avec ses doigts et la paume de ses mains, il pétrit mes tendons comme de la pâte à pain et fit tant et si bien que les nœuds se défirent et qu'une douce chaleur se répandit dans la chambre, tel un ronronnement.

Puis il descendit le long de mon dos, en utilisant cette fois le tranchant des mains. De haut en bas, de bas en haut. Un millier de fois. On n'entendait aucun bruit, hormis le claquement des peaux, son souffle alourdi par l'effort, mes gémissements de délice et, par moments, le chant diffus d'un coq ou l'aboiement d'un chien dans le lointain.

Puis ce fut au tour de mes fesses, de mes cuisses – épaisses couches de chair potelée – et tandis qu'il s'attaquait aux muscles tendus de mes mollets rebondis, je ne pus dissimuler une grimace tant il pinçait, frappait, frictionnait, giflait.

Finalement il atteignit les pieds. Je crois que personne n'avait jamais touché mes pieds avant ce jour. Il en frotta les plantes en décrivant un cercle avec les pouces pour chasser les tout derniers points de tension. À la façon dont il manipulait mes orteils, comprimés jusqu'à la torture par les chaussures trop étroites, j'avais l'impression que j'aurais pu jouer du violon avec.

Puis il me retourna sur le dos et s'assit à califourchon sur mes cuisses, entièrement nu. J'eus beau protester, il continua de verser sur ma peau l'huile d'olive précieuse qu'il étala ensuite avec des gestes de pianiste. Puis il s'allongea sur moi et de son corps massa le mien. Échauffée par le frottement des chairs, l'huile diffusait dans la pièce ses arômes d'herbe coupée et de fleurs sauvages, de soleil et de pluie d'été.

Malgré mon chagrin, la situation m'amusait par sa cocasserie. Je riais de le voir faire et de me voir ainsi traitée, femme entre deux âges, allongée toute molle, baignant dans l'huile comme un anchois. Lui aussi riait. Ses jolis cheveux soyeux chatouillaient ma poitrine, mon ventre. Puis il se mit à me lécher, à me savourer en y mettant toute la langue, avec des suçons audacieux, jusqu'à ce que je miaule, me torde et balance des coups de pied dans l'air. Oui je miaulais, je ruais, je martelais de mes bras les draps huileux, tel un oiseau géant prenant son envol. Alors, il se jeta sur moi, me cloua sur le lit, me remplit et mes cris de ravissement percèrent le silence de la nuit, réveillant chats, cochons, mulets qui manifestèrent aussitôt leur réprobation à leur manière.

Après cela, j'ai dérivé aux limites de la conscience. Je flottais sur mon nuage. J'ai vaguement entendu l'Inglese me proposer un léger repas mais je n'ai pas réagi, trop occupée à me dorer au soleil de mon amour en me délectant de la lointaine musique des fleurs. Puis il réapparut avec une assiette de ses fameux œufs et une bouteille de vin.

Il me donna la becquée avec les doigts. Les œufs étaient somptueux. Ô que c'était bon ! Raffiné, goûteux, succulent.

Nous avions assouvi notre faim. Je me sentais tiède et brillante comme une fleur déployant ses pétales. J'en voulais davantage.

C'était à mon tour de le masser. Sans attendre, j'ai grimpé sur lui.

« Tu es vraiment insatiable, femme », dit-il en riant.

J'ai versé sur lui l'huile d'olive qui restait dans la bouteille. Puis avec mes seins, je l'ai étalée sur sa peau pour qu'elle s'en imprègne, sans omettre aucune surface. Et nous avons fait l'amour encore une fois.

Cela dit, j'avais raison au sujet des draps. Quand est venu le jour de la lessive, j'ai eu un mal fou à les récupérer. Les auréoles graisseuses qui subsistent encore aujourd'hui me rappellent cette nuit de folie onctueuse.

Chapitre six

Cette nuit-là, ou peut-être la suivante, nous avons eu *notre conversation*. À la réflexion, je crois bien que c'était peu après son retour. Nous avions passé la nuit à faire l'amour et la journée aussi, dès que nous le pouvions, tantôt dans le cellier, tantôt dans la grange, sur le tas de foin fraîchement coupé qui embaumait de soleil mais piquait beaucoup. Bref, partout et n'importe où.

Mais je m'égare. C'était pendant les dernières heures de la nuit, j'en suis sûre, parce que nous étions au lit mais le rayon de soleil qui pénètre à l'aube par le volet percé d'un petit trou, n'enflammait pas encore le plafond. Oui, il faisait encore frais et la pénombre tirait sur le mauve foncé. Je le sais parce que soudain, mes yeux se sont ouverts et je me suis entendue demander :

« Pourquoi es-tu parti ? »

Je me rappelle avoir gémi dans mon for intérieur. Ma voix se permettait de formuler des questions que je ne voulais pas poser. Agissant de sa propre initiative, elle poursuivit :

« À Palerme, je veux dire, avant que… » Ma voix tremblait, à présent.

L'Inglese s'étira. Sa voix à lui était encore pâteuse de sommeil quand il répondit :

« Il le fallait. »

Il se tourna vers moi, glissa son bras sous ma nuque et m'attira contre lui. Ma tête se réfugia au creux de son épaule. Puis il continua :

« Je n'avais pas le choix. Tout s'est passé trop vite. Je n'ai pas pu t'en parler. Je le voulais. Mais je n'avais pas le temps.

— Je t'ai cherché. Je suis revenue là-bas. Dans cette maison. Trois fois. La dernière fois, je l'ai trouvée fermée ». Je me ménageai une pause. « Je t'ai cru mort.

— Je l'étais presque.

— Comment ? Pourquoi ?

— Eh bien, à cause d'une histoire stupide, en fait. Une histoire d'argent. Je devais de l'argent à un homme. Il voulait que je le rembourse et je n'avais pas de quoi. Pas encore du moins. Mais il refusait d'attendre. Alors il a envoyé ses hommes de main. Chez moi. J'ai dû partir et rester caché pendant un certain temps. Tu comprends ?

— Pendant quatre ans ?

— Eh bien oui. Il n'y avait pas que cela. Il y a eu des… complications.

— Complications.

— Oui, parfaitement. Mais je n'ai jamais cessé de penser à toi. Jamais. Dès que je l'ai pu, je suis parti à ta recherche. Mais ton appartement n'existait plus. L'incendie…

— Oui, j'ai failli mourir. J'ai passé des semaines à l'hôpital. Mes poumons étaient abîmés. Ensuite, Guerra et Pace m'ont ramenée à la maison.

— Personne ne savait où tu étais. Je suis allé voir l'épicier, en bas de chez toi. Ta fouineuse de logeuse…

— Pauvre Nonna Frolla. Elle est morte, tu sais. Dans l'incendie. Par ma faute. C'est moi qui l'ai allumé… »

Mes yeux débordaient de larmes. Je me considérais comme une meurtrière.

« Allons, mon cœur », dit-il en se penchant sur moi. Il me caressa le visage, essuya mes larmes de ses doigts. « C'était un accident. Ils ont dit que c'était…

— Qui t'a dit cela ?

— Tu vas rire. Son vieux mari. Il a épousé cette petite minette qui travaillait à la bibliothèque. Comment s'appelle-t-elle déjà ? Concetta ?

— Costanza.

— Exactement. Elle était assise sur ses genoux derrière le comptoir. Et ça roucoulait.

— Non !

— Si !

— Mais il doit avoir dans les cent quinze ans aujourd'hui !

— Eh bien, tu connais le dicton : "On a l'âge de la femme qu'on désire". En partant de cette hypothèse, il n'a pas plus de vingt-trois ans. Enfin bref, je leur ai demandé où tu étais partie mais ils l'ignoraient l'un comme l'autre. Ce qui ne les a pas empêchés de me raconter des tas de choses inutiles. Ils allaient m'envoyer à Lipari, sur une fausse piste, quand l'autre type est arrivé. Tu sais, le voyeur…

— Signor Rivoli !

— Lui-même. Ce sale petit vicieux. Quand je lui ai parlé de toi, il a commencé à s'exciter. Il a dit que tu avais reçu deux lettres, à l'époque où tu vivais via Vicolo Brugno, l'une durant l'été 1958, l'autre au printemps 1938. Sur celle de 58, le cachet était effacé mais sur l'autre on lisait encore nettement le lieu d'expédition : Castiglione di Sicilia, province de Catane. Donc, au lieu de lui casser la figure, je lui ai serré chaleureusement la main et me voilà. »

Pendant qu'il parlait, je frémissais en songeant que le signor Rivoli avait surveillé mes moindres faits et gestes pendant toutes ces années. Il possédait sans doute des dossiers sur moi, où il avait consigné ses observations de son écriture en pattes de mouche. C'était à vous donner la chair de poule.

Après une pause, l'Inglese ajouta :

« Je n'arrive pas trop tard, n'est-ce pas ?

— Non. Je voulais savoir, c'est tout. »

Malgré mon ton posé, je n'étais toujours pas convaincue. Quelles étaient ces « complications » qui ne manqueraient pas, je le sais, de venir titiller mon esprit la nuit, quand je chercherais le sommeil ? Néanmoins, je n'avais pas l'intention d'en faire un drame. Il ne m'avait pas oubliée. Il était revenu quand il l'avait pu. Il m'avait cherchée. Il était ici, à présent. Rien d'autre ne comptait. Le passé était le passé. Nul ne pouvait rien y changer.

Je me félicitais d'avoir abordé le sujet. Si je ne m'en étais pas débarrassée, il serait resté dressé entre nous, comme une haie dans une course d'obstacles.

Donc nous nous sommes blottis l'un contre l'autre et avons piqué un gentil petit somme, comme deux chatons. Avant que je m'en aperçoive, il fit jour. Il était temps de se lever et d'aller nourrir les cochons.

Chapitre sept

La pâtée fumante remplissant mon seau se déversait en giclant dans l'auge aux cochons. Quelques morceaux restèrent collés à mes jambes nues. Je me prenais en pitié, regrettant de n'avoir pu profiter de mon bonheur un peu plus longtemps. Un jour ou deux, une petite semaine. Pourquoi la mort avait-elle frappé la même nuit ?

« Réponds-moi », lançai-je à la grande Priscilla, notre vieille truie, qui me repoussa d'un coup de groin pour mieux atteindre l'auge. Son petit déjeuner l'intéressait plus que mes questions. Bientôt, l'air frais du matin résonna de grognements réjouis. Priscilla et ses rejetons aux poils raides appréciaient leur repas.

Leur pâtée contenait des épluchures de tomates, des feuilles d'artichaut, un restant de *pennette* et de courgettes, des feuilles de *tenerumi* en grand nombre, du petit-lait, des grains de blé et plein d'autres bonnes choses. Je me faisais un devoir de bien nourrir mes cochons et je sais qu'ils mangeaient mieux que beaucoup de personnes de la région. C'est un petit plaisir mais j'aime voir les animaux manger de bon appétit. Pendant un moment, je les ai regardés d'un air attendri. Puis, soudain, mon chagrin se rappela à mon souvenir comme un couteau planté dans ma poitrine.

Tout à coup, je suis sentie observée. Je me retournai, m'attendant à voir l'Inglese derrière moi, mais c'était mon frère Mauro. Appuyé contre le mur, il tirait sur sa cigarette en me détaillant comme si j'étais nue de la tête aux pieds. J'ai vérifié ma tenue d'un rapide coup d'œil. Oui, j'étais décente. J'ai quand même tiré sur ma jupe, de manière à cacher mes genoux. J'ai ajusté le col de mon chemisier juste pour m'assurer qu'il ne bâillait pas. Au fond de moi, j'avais la désagréable impression qu'il m'avait déjà vue nue et qu'en me lorgnant ainsi, il se remémorait cette vision.

Mauro désigna la maison d'un signe de tête.

« Il va rester longtemps ? demanda-t-il en crachant un filet de fumée. Ton ami ?

— Qu'est-ce que ça peut te faire ? » répliquai-je en me remettant à la tâche. Je raclai le fond de mon seau avec une grosse cuiller en bois avant d'en marteler le rebord de l'auge comme un tambour.

Mauro haussa les épaules.

« Je serai là quand il partira », répondit-il.

À mon tour, je haussai les épaules.

« Si ça t'amuse », dis-je avant de rentrer dans la maison pour préparer le petit déjeuner.

Quand il partira. Ces paroles me brûlaient comme la piqûre d'un frelon. L'Inglese venait d'arriver. Je ne l'avais eu à moi que pendant quelques heures. Et entre-temps, un meurtre atroce s'était produit. Je n'avais pas pu profiter de lui autant que je l'aurais souhaité. L'idée qu'il s'en aille de nouveau m'était insupportable. Et pourtant, au fond de moi, je savais qu'il n'était que de passage.

Je ne voulais pas y songer. Pas encore. Pas avant longtemps. C'était comme coller un couvercle sur une casserole de *maccu* en train de bouillir. Je ne laisserais pas cette pensée déborder et envahir ma conscience.

Il faisait encore sombre dans la *cucina*. Le soleil matinal ne pénètre pas tout de suite dans cette partie de la maison mais il était grand temps de se retrousser les manches. J'ai versé de la farine sur la table pour fabriquer le pain du matin et, comme j'avais oublié la levure, je suis allée en chercher dans le cellier. En revenant, j'ai trouvé Mamma assise à la table, occupée à tracer du bout du doigt des motifs dans la farine.

Je n'étais pas surprise. Sa présence me paraissait tout à fait naturelle. Après tout, les fantômes des Fiore se promènent un peu partout, ici. Ce n'est pas parce qu'ils sont morts qu'ils doivent déménager.

« J'ai toujours dit qu'ils finiraient mal, ces deux-là, marmonna-t-elle sur un ton satisfait bien que sinistre. Et j'avais raison. »

Sa voix n'avait pas changé. Son allure non plus. Elle avait toujours son visage brun, ridé comme une noix, ses cheveux blancs hérissés, sa robe et son gilet noir. On aurait pu la croire vivante si l'on n'avait su, avec la plus grande certitude, qu'elle était morte.

« Mais Mamma, dis-je en ajoutant de l'eau à la farine, comme si discuter avec sa défunte mère tout en préparant le pain du matin était la chose la plus naturelle au monde. Ils n'avaient rien fait pour mériter cela. Ce n'était pas leur faute.

— Qui sème le vent récolte la tempête, c'est ce que je dis toujours », rétorqua-t-elle.

UOVA

(Œufs)

Chapitre huit

Voilà comment les choses s'étaient passées.

Ombretta Gengiva, qui exerçait le métier de sage-femme depuis la mort de sa mère Margarita dans le terrible glissement de terrain de 1941, avait été appelée à la ferme Forbicina pour présider à la naissance du premier enfant du jeune couple formé par Bino et Angela. Cette dernière venait du bourg de Femmina Morta dans les monts Nebrodi, à l'ouest.

Ils étaient mariés depuis sept mois à peine mais Angela avait tellement gonflé qu'elle semblait porter plus d'un enfant. Au minimum des jumeaux, plus probablement des triplés voire des quadruplés. La chose n'est pas rare dans la région. Les naissances multiples sont monnaie courante. L'hiver précédent, mon frère Salvatore et sa femme actuelle, Consuela, avaient eu quatre enfants d'un coup : deux garçons, Nord et Sud, et deux filles, Est et Ouest. D'abord, tout le monde avait cru à une plaisanterie. Peut-être en était-ce une, au début, mais une fois l'habitude prise, les deux parents continuèrent à les appeler ainsi. Et tout le monde les imita.

Mais je m'éloigne. J'étais en train de raconter l'accouchement d'Angela Forbicina et la série de catastrophes qui s'ensuivit. Pour une raison inconnue (d'aucuns disaient qu'Angela avait été empoisonnée par les confitures de coings de sa belle-mère, d'autres penchaient pour un abus de sardines), Ombretta Gengiva fut appelée à son chevet bien avant le terme attendu. Quand elle arriva à la ferme, elle comprit vite que quelque chose ne tournait pas rond.

De toute évidence, le travail avait commencé depuis quelques jours. Angela n'en avait rien dit à personne car elle était mariée depuis moins de neuf mois. Ombretta constata que les bébés se présentaient mal. Elle identifia un certain nombre de bras, de jambes et autres parties indéterminées, le tout en grand désordre. Cet accouchement s'annonçait comme une lutte titanesque.

Par la suite, Ombretta Gengiva expliqua que, depuis la mort de sa mère, que Dieu ait pitié de son âme, vingt et un ans plus tôt, elle avait mis au monde exactement 5 647 bébés à travers toute la région. Et aucun d'entre eux ne ressemblait à celui-ci.

Dans son désarroi, elle invoqua l'esprit de sa défunte mère qui aussitôt se matérialisa dans la chambre de la parturiente. Tandis qu'une bordée de postillons giclaient de ses gencives dénudées – particularité qu'elle possédait déjà de son vivant –, Margarita Gengiva annonça l'atroce nouvelle :

« C'est comme pour Isabella Fiore, tout pareil. »

N'étant pas du coin, la pauvre Angela ignorait de quoi il retournait. En revanche, Ombretta Gengiva réagit en tombant à genoux et en marmonnant une prière à Santa Margarita, la sainte patronne de sa mère, protectrice des accouchements.

« Ce sera un monstre pour sûr, piaillait Margarita Gengiva pendant que son ectoplasme commençait à s'effacer. Un truc tout collé ensemble, avec des têtes et des membres dans tous les sens et hideusement difformes. Et ce sera l'œuvre du diable, ça c'est sûr. »

Entendant cela, Angela s'évanouit, comme de nombreuses femmes à sa place l'auraient fait, si bien qu'on dut la ranimer avec des sels.

La rumeur s'était déjà répandue. Des villageois faisaient route vers la ferme, bien déterminés à assister à la naissance du monstre. Bien sûr, l'époque avait changé, on était en 1962 après tout. Par conséquent, certains débarquèrent en *motorini* ou dans ces petits triporteurs nommés *Ape*, qu'on commençait à importer du continent.

Comme cela arrive souvent aux belles-mères, la vieille Forbicina ignorait ce qui était en train de se passer sous son propre toit. Elle surgit en haut des marches, armée d'un fusil.

« Foutez-moi le camp », hurla-t-elle à la foule en tirant en l'air une décharge de chevrotine. Tocco, le chat albinos qui taquinait une souris sur le toit de la porcherie, fut la première victime de cette terrible nuit.

Quand elle comprit la raison de l'attroupement, Madre Forbicina devint aussi blanche que le matou qu'elle venait d'occire. Elle se précipita dans la chambre de sa bru avec la ferme intention de lui demander des comptes. En la voyant débouler, Angela, qui ne reprenait ses esprits que pour s'évanouir de nouveau une seconde plus tard, se cacha sous les couvertures. Ombretta Gengiva, n'écoutant que son courage, confisqua le fusil et mit la belle-mère à la porte.

Fort contrariée, Madre Forbicina accusa son fils Bino de jeter la disgrâce sur la famille. Elle le griffa, le mordit et arracha par poignées ses cheveux déjà clairsemés. Quant au vieux Forbicina, il assistait à la scène sans oser intervenir. Il était désolé pour son fils mais redoutait de voir la colère de son épouse se retourner contre lui. Il avait depuis longtemps fait le deuil de ses cheveux mais tenait à conserver l'unique dent qui lui procurait encore un relatif confort.

Les hurlements venant de l'étage se firent plus angoissés. Il faisait une chaleur étouffante qu'aucune brise ne venait atténuer ; les bruits qui sortaient des fenêtres ouvertes se diffusaient sur des centaines de mètres à la ronde. On entendait les mulets braire dans le jardin de Piramo Brina, les melons craquer doucement sur leur lit de verdure et, de l'autre côté de la vallée, mes propres cris d'extase mêlés aux roucoulements des colombes. Le garçon de berger Simple Fogna, qui venait comme à son habitude de faire entrer discrètement ses chèvres dans notre pommeraie, se demandait pourquoi Rosa Fiore faisait un tel boucan. Ô quelle nuit ! La nuit de ma vie.

Au loin, le volcan se tenait tranquille, malgré la langue de lave qui s'écoulait de son sommet, illuminant la nuit sombre et répandant une odeur de soufre qui se déposait sur les lèvres.

Dans la cour de la ferme Forbicina, Dante Brodo, posté à l'arrière de sa camionnette, se remplissait les poches en vendant de la *granita* au citron à la foule des curieux qui attendaient la suite des événements, la gorge desséchée par les hurlements de la pauvre Angela.

Finalement, peu après minuit, les vagissements de plusieurs nouveau-nés se firent entendre. Ceux qui roupillaient se réveillèrent en sursaut et se précipitèrent vers la maison.

Ombretta Gengiva ouvrit les volets pour annoncer :

« C'est une créature double, pour sûr, comme Guerra et Pace Fiore, mais des filles, pas des gars, avec une seule grosse tête pour les deux et des corps tout rabougris. »

La foule retint son souffle. L'histoire se répétait.

« J'étais là moi aussi, la nuit en question, lança Mafalda Pruneto qui était maintenant une vieille femme, et une vieille femme désireuse de se mettre en avant. Ma ricotta a tourné, comme je le craignais. Toute la production de la semaine. J'ai dû la donner aux cochons. Et personne ne m'a remboursé les dégâts. J'ai dit à Isabella Fiore, je lui ai dit : c'est à cause de toi, faut réparer. Elle m'a mis son point dans la gueule, voilà ce qu'elle a fait. Mon nez est devenu gros comme une aubergine. C'était une vraie furie, celle-là. Oh oui, heureusement que je fais plus de fromage à l'heure qu'il est. Va y avoir de la ricotta tournée dans toute la région. Je ne sais pas si le pecorino va rancir lui aussi…

— Je me rappelle maintenant. Je m'inquiétais pour mon vin, renchérit Fuscolo Bancale en frottant son menton chenu, mais il se trouve que 1923 a été une bonne année. J'ai encore quelques bouteilles par-devers moi. Si ça se trouve, 1962 sera une bonne année aussi, qui sait… »

À l'époque de la naissance de Guerra et Pace, Donatello Mancini était un enfant de chœur boutonneux. Aujourd'hui, quinquagénaire bedonnant, il crut bon d'ajouter son grain de sel :

« J'ai vu de mes propres yeux Isabella Fiore s'accoupler avec un buffle d'eau. Tout ça c'était de sa faute.

— En ce temps-là, tu mentais comme un arracheur de dents, et t'as pas changé depuis, lança Sesto Fissaggi.

— Bino Forbicina, il est né cocu.

— Cette marmite-là était déjà sur le feu avant qu'il la marie. Que je sois pendu.

— Ils sont tous pareils, ces bandits de la montagne.

— C'est ce qui arrive quand on épouse des étrangers.

— En parlant d'étrangers, vous savez qu'il y en a un chez les Fiore en ce moment ? Il trafique avec la Rosa. Il paraît qu'il demandait après elle dans toute la région. Il l'a pistée comme un chien de chasse.

— Où va le monde ? »

Ils étaient tellement occupés à ressasser le passé et à spéculer sur la conduite immorale d'Angela Forbicina et des habitants de Nebrodi qu'ils ne virent pas tout de suite Bino se ruer hors de la maison en brandissant l'énorme poignard qui pendait au-dessus de la cheminée depuis l'époque des Espagnols.

La foule se mit à trembler. Qu'allait-il faire ? Il avait l'air furieux, assurément. Quel homme ne le serait pas, en de telles circonstances ? En fait, il resta planté sur le perron et depuis son perchoir, poussa un mugissement de taureau si terrifiant qu'il figea le sang dans les veines de ceux qui l'entendirent.

Au même instant, on eut la surprise de voir arriver le Padre Francesco. Il clopinait en brandissant une croix. Quand il eut monté les marches, au lieu de la bénédiction attendue, il se mit à brailler des chansons grivoises.

Puis, sans crier gare, il releva sa soutane si bien que tout le monde aperçut ce qu'il portait en dessous, c'est-à-dire pas grand-chose, pour être sincère. Voyant cela, Bino glissa le poignard dans sa ceinture, empoigna le prêtre et le précipita au bas de l'escalier.

Tandis que le curé se contorsionnait dans la poussière, on entendit un grand vacarme : des chevaux au galop, le claquement d'un harnais, des roues de charrette. Un attelage pénétra en trombe dans la cour de la ferme, éparpillant les badauds. La femme colossale qui tenait les rênes poussa une sorte de rugissement auquel les gros chevaux couverts d'une écume verte répondirent en s'arrêtant net malgré le pavé glissant, ce qui épargna une mort atroce au Padre Francesco.

« Qu'est-ce que tu as fait à ma petite Angela ? demanda la géante d'une voix profonde comme un puits.

— Moi ? C'est elle qui s'est jouée de moi, répondit amèrement Bino. Il y a deux coupables et ils vont payer. »

À ces mots, il dévala les marches, enjamba le prêtre, attrapa le scooter de Probo Basso et démarra sur les chapeaux de roues, devant les yeux des voisins éberlués.

Quand il eut disparu, sa monumentale belle-mère sauta du chariot, le contourna d'un pas martial et saisit à bout de bras le tout petit homme (que personne n'avait remarqué jusque-là) juché sur le siège du cocher, côté passager. Elle le déposa en haut des marches comme une poupée puis ils s'engouffrèrent dans la bâtisse.

Les voisins hésitaient sur la conduite à tenir : devaient-ils suivre Bino pour voir ce qu'il faisait, ou bien rester pour assister au combat des belles-mères ? Cette deuxième option promettait une bonne tranche de rigolade, à condition que la rencontre se passât dehors. Finalement, ceux qui possédaient un moyen de transport filèrent sur les traces de Bino, ceux qui n'avaient que leurs pieds restèrent, partant de l'idée qu'ils seraient aux premières loges en cas de spectacle.

Chapitre neuf

Le soir, Guerra et Pace avaient l'habitude de traiter leurs affaires dans le café de Nestore le boiteux (à ne pas confondre avec l'autre Nestore, qui ne boite pas et ne tient pas de café puisqu'il est forgeron). Ils avaient leur table attitrée dans un coin, au fond de la salle. Nestore supervisait les opérations. Tout en servant les clients, il faisait office de réceptionniste, dirigeait les personnes qui venaient les consulter, se chargeait d'une série de tâches étranges autant que nécessaires, etc. Les jumeaux avaient fait du chemin depuis l'époque où ils recevaient dans la vieille porcherie de la *fattoria* les villageois qui faisaient la queue pour savoir où était passée leur oie ou quelle était la période la plus favorable pour moissonner.

Je n'ai jamais compris pourquoi – et ce n'est pas faute d'y avoir maintes fois réfléchi depuis cette nuit tragique – ils n'avaient pas su prédire ce qui allait leur arriver – et, partant de là, empêcher que cela arrive. Mais ils n'avaient pas non plus prévu la nuit de la naissance des triplettes. Peut-être ne voyaient-ils que l'avenir d'autrui, pas le leur. Peut-être étaient-ils trop occupés à gagner de l'argent pour prêter attention à leur don de double vue. Qui sait ?

Par la suite, Nestore a déclaré que la soirée avait été très remplie pour les jumeaux, avec beaucoup d'allées et venues comme d'habitude. Avant la fermeture, Nestore faisait le ménage pendant que Guerra et Pace buvaient une dernière tasse de café. C'est alors que Bino Forbicina avait surgi comme un fou furieux, les cheveux dressés sur la tête, les yeux hagards, injectés de sang. Un volcan sur le point de cracher sa lave.

Il écarta Nestore, entra et dit simplement :

« Le temps des grenades. »

Puis une lame brilla comme un éclair sous l'ampoule nue du plafond. Et en moins de temps qu'il n'en faut pour le dire, un geyser de sang jaillit de la poitrine de Guerra qui mourut sur le coup, entraînant Pace dans son sillage. Nestore fit l'impossible pour stopper l'hémorragie avec le torchon dont il se servait pour essuyer les tables. En vain.

Bino Forbicina repartit comme il était venu.

Chapitre dix

Je repense souvent aux heures ayant précédé la tragédie. Après toutes ces années, j'ai l'impression d'avoir rêvé. Et pourtant je sais pertinemment qu'il n'en est rien. Oui, avant que le malheur n'arrive, avant que la vie, ou plus précisément la mort, ne s'en mêle, l'Inglese et moi étions ensemble dans notre petite bulle, loin des regards.

Nous avons fait l'amour encore et encore, malgré notre âge. Les amoureux redeviennent adolescents. Nous étions dans mon lit, où j'avais passé tant de nuits solitaires à rêver de lui ou à tenter de rêver de lui en imaginant comment serait la vie quand il reviendrait. Et voilà qu'il était revenu.

Dans un sens, sa présence n'avait rien de si incroyable et pourtant, une partie de moi n'y croyait pas encore tout à fait. Parfois, dans les romans d'amour, l'héroïne doit se pincer pour s'assurer qu'elle ne rêve pas. J'étais dans ce même état d'esprit.

Donc, nous étions allongés dans la nuit moite, nos mains et d'autres parties de nos individus indiciblement attirés vers le corps de l'autre, et nous sentions l'impatience enfler en nous, comme une marmite sur le feu. Je me suis assise à califourchon sur lui, je l'ai agrippé de tous mes muscles en hululant à pleins poumons. J'avais l'impression que j'allais exploser comme une grosse bulle de joie et que rien ne resterait de moi.

Durant les accalmies, nous retombions sur mon petit lit, côte à côte, serrés comme des sardines dans une boîte, et nous gloussions de rire comme des enfants. Je n'arrêtais pas de le toucher pour m'assurer qu'il était bien là. Je n'avais jamais ressenti pareil vertige. J'aurais voulu me lever et danser et chanter à tue-tête. Son odeur était comme du paradis en bouteille. J'enfouissais mon visage dans sa chair pour m'emplir les poumons de ce parfum enivrant. Nos lèvres étaient rouges et gonflées par les milliers de baisers donnés et reçus. Mon visage cuisait à cause du frottement de ses moustaches. Je ne cessais de le grignoter, de le renifler, de le sucer, de le mordre.

De temps en temps, l'un ou l'autre – le plus souvent lui –, se laissait gagner par le sommeil. Quand je le regardais dormir, j'éprouvais une telle tendresse que j'étais obligée de le couvrir à nouveau de baisers. Mais quelque part à l'intérieur de moi, je ressentais une douleur, celle de ne pouvoir l'aimer autant que je l'aurais voulu. Les années de bonheur qu'on nous avait enlevées s'étaient envolées à jamais.

J'ignore quelle heure il était mais nous nous sommes réveillés avec une faim de loup ; cela faisait une éternité que nous n'avions rien avalé. Nous sommes donc descendus à la *cucina* comme nous étions : nus. Il n'y avait personne et la nuit était si torride que nos corps produisaient de la chaleur. L'Inglese a dit qu'on pourrait faire frire un œuf sur ma peau et qu'il avait très envie d'essayer pour voir.

En réalité, nous n'avons pas mangé d'œufs. J'ai sorti du garde-manger une assiette de *caponata*, nos délicieuses aubergines bien dodues, mijotées dans une sauce tomate avec des olives, des câpres, une pincée de sucre et, mon petit secret à moi, quelques figues de Barbarie dont j'avais fait des conserves, à l'automne dernier. J'ai sorti mon pain rustique, une ricotta fraîche salée et un peu de *prosciutto crudo*, tout ce qu'il restait de Daniele, le dernier cochon égorgé par mes soins.

Nous nous sommes assis à la vieille table en nous donnant mutuellement la béquée avec les doigts, nous avons dégusté un pichet de notre vin maison et beaucoup ri. Pour le dessert, j'ai présenté un plateau de fruits gorgés de soleil : des pêches, des fraises, des framboises, des figues bien pulpeuses et un melon juteux dont le parfum remplissait la pièce. Bientôt, je me suis transformée en coupe à fruits. L'Inglese disposa des morceaux de pulpe sur mon corps et lécha le jus qui en ruisselait tandis qu'au comble de l'excitation, je poussais des cris perçants, riais et pleurais de joie tout à la fois.

C'est alors qu'on entendit hurler dans la cour. Je compris aussitôt que la tragédie avait frappé, même si j'ignorais encore de quelle manière. Le charme était rompu. Je me redressai tant bien que mal. Les morceaux de fruits s'écrasèrent sur le sol. Mauro, mon nouveau frère, gravit les marches d'un bond et pénétra dans la *cucina* où je tentais de cacher ma nudité derrière un torchon totalement impropre à cet usage puisqu'il était petit et criblé de trous. Mauro en profita pour se rincer l'œil.

« Qui est mort ? demandai-je.

— Guerra », répondit-il.

À cet instant, quelque chose mourut en moi aussi. Aujourd'hui, quand j'évoque cette scène, je sens encore la blessure se rouvrir. Des milliers de questions se pressaient sur mes lèvres. La première fut :

« Et Pace ?

— Pas terrible. »

J'encaissai un deuxième coup. J'ignorais que les jumeaux avaient été poignardés et pourtant, je le jure, je ressentais leur douleur, une terrible brûlure qui m'arrachait la poitrine.

Bien sûr, je me trouvais dans une position ridicule mais quand la mort se présente, tout s'efface devant elle. Je me précipitai à l'étage pour m'habiller. L'Inglese me suivit.

« Dois-je venir ? demanda-t-il.

— Évidemment, tu fais partie de la famille », répondis-je.

Ayant enfilé quelques vêtements à la hâte, nous redescendîmes. Mauro nous attendait. Dans la cour, nous sommes tombés sur Rosario, attiré par le vacarme. Quand nous l'avons mis au courant, il s'est écroulé. Son visage vira au turquoise ; de l'écume lui sortit de la bouche. Personne ne le savait à ce point attaché aux jumeaux. Il fallut attendre quelques jours pour comprendre que son malaise avait une autre cause. Mauro le souleva et le jeta comme un sac sur son épaule car Mauro est aussi large que haut ; c'est l'homme le plus fort de la région. Aujourd'hui encore, il remporte la couronne de lauriers au concours de l'Hercule, à la *festa* de San Giacomo di Prugno.

Nous sommes tous montés dans le tracteur, Mauro au volant, l'Inglese et moi accrochés à Rosario, faisant notre possible pour ne pas être éjectés du véhicule. Dans ce bruyant équipage, nous avons traversé la ville jusqu'à la maison où gisaient mes jumeaux bien-aimés, l'un mort, l'autre mourant.

Plus tard, je me suis demandé pourquoi nous n'avions pas pris le camion, au lieu de nous agglutiner sur ce tracteur, mais dans l'affolement j'avais oublié toute logique. Pour une fois.

MINESTRE

(Soupes)

Chapitre onze

La saison des asperges sauvages.

Je ne me rappelle plus très bien quand mon frère Mauro est arrivé parmi nous. Je sais que c'était la saison des asperges sauvages parce que j'avais passé des heures à les ramasser au milieu des ronces pour n'en récolter qu'un petit panier. Comme les asperges poussent loin de la ferme, je n'avais pas entendu la nouvelle. Quand je suis rentrée à la *fattoria*, hirsute, couverte d'égratignures, des brindilles plein les cheveux, je l'ai trouvé dans la *cucina*, occupé à tout inspecter, depuis mes ustensiles de cuisine jusqu'au fil de mes couteaux.

Giuseppe, qui l'accompagnait, m'expliqua qu'il était le fils de papa et que nous devions l'accueillir dans notre maison et dans nos cœurs. Une foule de questions se présenta à moi mais je n'en posai aucune.

Je dois dire que Mauro ne s'est jamais comporté comme un frère, avec moi. Naturellement, comme il était le fils de Filippo, nous n'étions pas exactement frère et sœur, mais le savait-il ? Par contre, il était très familier. Il ressemblait à Filippo en mieux. Il avait une meilleure dentition mais cela n'avait rien d'étonnant car Filippo, qui se méfiait des dentistes, ne s'était jamais fait soigner les dents. Il possédait un visage avenant, carré, solide, et semblait avoir plus ou moins mon âge. Un peu plus jeune peut-être. Ses cheveux noirs étaient drus et brillants. Contrairement à Filippo, il ne portait pas de béret. Celui de Filippo dormait dans le petit coffre qui contient tous mes trésors. Un peu mangé aux mites, certes, mais je ne l'aurais jeté pour rien au monde. D'où venait-il ? Où avait-il grandi ? Qui était sa mère ? Bref, qui était-il ? J'avais du mal à poser ce genre de questions.

Comme je disais, Mauro était très familier avec moi. Pendant que je préparais ma *frittata*, il s'est approché de moi par-derrière. Il se tenait si près que je sentais la chaleur de son corps ainsi que son odeur, qui rappelait celle du beurre fondu. Elle m'enveloppait et j'avoue que ce n'était pas désagréable (Dieu sait que nos hommes ne sont pas réputés pour la délicatesse de leur parfum, particulièrement en plein été). Son souffle caressait mon cou et tandis que mon esprit rejetait ce comportement cavalier, mon corps appréciait.

Il voulut se mêler du battage des œufs, de la dose de sel, de la quantité d'huile à faire chauffer dans la poêle, etc. Il n'arrêtait pas de me toucher. Par inadvertance ou pas. Il me couvait de son regard sombre et cela me mettait très mal à l'aise. C'était comme si ses yeux étaient collés à moi, telles deux mouches sur une cuillerée de confiture.

Bien sûr, j'ai insisté pour suivre ma recette. Je n'étais pas peu fière de mes *frittate*. En outre, c'était moi qui avais rampé comme une bête dans le sous-bois pour cueillir ces tendres asperges, c'était moi qui étais revenue couverte d'écorchures. En somme, ces asperges m'appartenaient. Je lui ai demandé poliment mais fermement de garder ses commentaires pour lui.

Quand ce fut prêt, la pièce s'emplit d'une odeur appétissante. La nouvelle se répandit comme un feu de brousse, dans la *fattoria.* La première *frittata* d'asperges était prête. Déjà, les ouvriers faisaient la queue sur les marches. Quand j'ai fini par ouvrir la porte, ils se bousculèrent pour s'asseoir à la table en premier. Mauro fit en sorte de s'installer à côté de moi. Il frétillait comme un écolier surexcité quand je lui servis une part généreuse. En enfournant la première bouchée, il ferma les yeux pour mieux apprécier. Je le voyais savourer chaque sensation, chaque consistance. Il se tourna vers moi en souriant de ses dents blanches bien alignées.

« Ma sœur, dit-il (il prononça ce mot avec une nuance de moquerie), tu avais raison et j'avais tort. Cette *frittata* est parfaite. Impossible de faire mieux. »

J'ai enlevé sa main de ma cuisse et lui ai rendu son sourire.

« Merci, *mon frère*, je suis heureuse qu'elle te plaise. »

Je ne sais plus vraiment comment cela se produisit mais il fut décidé qu'il emménagerait dans l'ancien grenier à blé que nous avions converti en logement, près de l'endroit où vivait Rosario, et qu'il tiendrait sa place parmi nous en tant qu'ouvrier agricole. Je dois dire que malgré son toupet et son amour des commérages, il travaillait bien. Il était plus fort et plus dur à la tâche que n'importe lequel de mes vrais frères. Ces derniers l'accueillirent comme l'un des leurs. Il semblait appartenir de droit à cette famille, comme la pièce manquante d'un puzzle, qu'on retrouve par hasard dans un coin sombre après l'avoir négligée pendant des années. Les voir tous ensemble me faisait prendre conscience de ma différence. Ils se ressemblaient beaucoup car ils faisaient partie d'un club auquel je n'appartiendrais jamais, puisque j'étais la fille de Rosario, le simple d'esprit.

Chapitre douze

Peu après, il y eut la récolte des pois. J'avais dans l'idée de préparer une superbe *frittella* avec des pois, des artichauts dont je possédais plusieurs magnifiques spécimens et des fèves tendres. J'étais dans mon potager, dont je suis assez fière car je m'en occupe bien, et je venais de terminer le ratissage d'une parcelle où je comptais semer d'autres fèves qui poussent vite à cette période de l'année, dans notre terre volcanique riche et fertile.

Donc, je ramassais des pois dont je remplissais mon panier. De temps à autre, souvent devrais-je dire, je ne résistais pas au plaisir de faire jaillir la graine de sa cosse pour la cueillir entre mes lèvres dans son nid duveteux.

Tout autour de moi, le potager sentait bon les légumes frais et vivaces, la tourbe noire. Une petite brise transportait les subtiles fragrances de la menthe, du basilic, de la fleur de pêcher. Les abeilles travaillaient avec le plus grand sérieux. J'embrassai cette nature du regard. Tout cela était bon. Solide et beau. Le ciel éclatait d'un bleu plus que bleu. Le soleil du printemps éclairait mon visage. J'étais heureuse de vivre.

Tout à coup, j'aperçus mon frère Mauro. Il était là, en train d'examiner mon potager, très fier lui aussi de voir ces magnifiques légumes dans leurs plates-bandes impeccables. Quand je l'ai invité à partager quelques pois, il m'a regardé de ses yeux presque noirs. Avec ce regard qu'ont les gens qui cherchent à lire dans vos pensées. Ses yeux me mettent toujours un peu mal à l'aise.

Il s'est assis près de moi sous le soleil, sans rien exprimer hormis les onomatopées habituelles de qui se régale en dégustant des pois. Ensemble nous avons ouvert les cosses, aspiré les graines, puis mâché et avalé en claquant les lèvres. Et pendant tout ce temps, il me dévisageait avec une curieuse expression sur le visage, un demi-sourire, comme s'il attendait quelque réaction de ma part.

Puis il fit une chose étonnante.

Il avança les lèvres vers moi. Elles étaient assez jolies : douces et sèches, pâles et souples, tendues et ouvertes. Son haleine sentait la menthe à cause des pois que nous venions de manger, du printemps, des herbes nouvelles et de la douceur de l'air. Quand ces lèvres, ses lèvres, effleurèrent les miennes, un choc électrique ébranla tout mon corps. Puis elles se posèrent pour de bon et il y eut ce baiser. Ce baiser sur mes lèvres. Sur moi.

Bien sûr, j'avais l'intention d'y mettre fin. J'ai résisté, j'allais le repousser, avec une petite tape en prime pour le punir de son toupet. Mais soudain, je me retrouvai sans force. J'ignore pourquoi mais ce baiser fut pour moi un instant de félicité. Comme si je n'avais jamais embrassé auparavant. C'était tout nouveau, tout beau, érotique et tendre à vous donner la chair de poule.

J'aimais l'effet que produisaient sur moi ses baisers. Mon corps reconnaissait le lien qui m'unissait au propriétaire de ces lèvres. Les pensées qui tourbillonnaient dans ma tête n'avaient rien à voir avec l'instant présent et pourtant, j'espérais que cet instant dure éternellement. Je voulais ressentir ce vertige encore et encore. Je lui rendis son baiser. Il me le redonna. C'était hallucinant. Magique. Incroyable.

Mais cela ne faisait que commencer. Quelque chose fléchit et s'enroula comme une spirale tout au fond de mon ventre. Mes mains s'ouvrirent, les pois tombèrent. Je lui pris le visage et l'attirai vers moi. Encouragé par ce geste, il m'empoigna. Je sentis ses mains, des mains à la fois puissantes et douces et adroites, se promener sur mon corps en insistant sur les zones du plaisir. C'est étrange, on aurait dit que nos corps se connaissaient déjà.

Nous nous sommes retrouvés allongés sur la parcelle que je venais de ratisser, cette couche de terre noire et meuble qui embaumait. J'aurais presque entendu gigoter les vers de terre. Couchée sur le dos, je fermai les yeux pour mieux sentir le soleil réchauffer mes paupières, le printemps m'envelopper et Mauro embrasser mon cou tout en défaisant les boutons de ma robe un par un. Il m'ouvrait, comme on ouvre une cosse de pois, et je me laissai faire.

Puis les oiseaux se mirent à pépier, les abeilles à bourdonner. Derrière leur barrière, les cochons nous accompagnaient de leurs délicats grognements. De la verdure émanait une odeur capiteuse. J'étais nue et le printemps entrait en moi par tous les pores, comme si j'étais moi-même un animal. Il se rapprocha encore, s'allongea sur moi, de tout son poids, se coula entre mes cuisses et s'enfonça là où je désespérais de l'accueillir, si fort que je ne pus réprimer ce cri :

« Oui, c'est bon. Tu y es. Oui. Oh oui. Oui. Oui. Comme ça. Continue. S'il te plaît. N'arrête pas. »

Mon cri dut s'entendre de loin.

« Que veux-tu que je fasse exactement, Rosa ? »

La voix de Mauro venait d'ailleurs. Il s'était arrêté. Brusquement. Le monde avait cessé de tourner. J'ai ouvert les yeux. Nous étions assis près des rangées de pois, vêtus de pied en cap.

Au terme d'une chute interminable, je finis par toucher terre. J'avais tout imaginé. Comble de l'horreur, il m'avait clairement entendue gémir et hurler de plaisir. Les joues cramoisies, je parvins à me relever en évitant son regard.

« Il faut que j'aille sortir les pains du four avant qu'ils ne brûlent. »

Pour me donner l'air affairé, je marmonnai je ne sais quoi puis je ramassai mon panier de pois et regagnai en toute hâte la *cucina*, morte de honte.

Heureusement, les pains n'avaient pas brûlé mais leur croûte était plus sombre qu'à l'habitude.

Pour passer mes nerfs, j'entrepris de peler les artichauts. Tout en arrachant les feuilles coriaces entourant les cœurs, je m'adressai des invectives : Honte à toi, Rosa Fiore. Puis d'un geste farouche, je les débitai en tranches. C'était ridicule. J'étais ridicule. Je jetai les tranches dans de l'eau citronnée pour les empêcher de brunir. Ce songe idiot ne signifiait pas que j'en avais envie. J'éminçai mon oignon ; en un clin d'œil, ce fut terminé. Bien sûr que non. Ensuite, j'écossai les fèves en les ouvrant tout du long d'un coup de pouce. Les graines tombèrent sur le monticule vert pâle qui prenait de la hauteur sur la table. Cette tâche répétitive eut un effet salutaire. Je recouvrai mes esprits. J'étais privée d'amour depuis trop longtemps, sinon cette chose ne serait jamais arrivée. Après, je m'attaquai au panier de pois. Je sentais mes nerfs se détendre. J'adore décortiquer les légumes. Je pourrais faire cela à longueur de journée. Je savais par expérience que si je cuisinais dans l'énervement, ma *frittella* ne serait pas aussi bonne qu'à l'accoutumée. Elle aurait un arrière-goût d'amertume. Cela faisait bien longtemps que mes fantasmes ne m'avaient pas joué ce genre de tour. J'allais devoir me surveiller de très près. Il n'était pas question de laisser cette regrettable tendance prendre le dessus.

À la suite de quoi, je fis chauffer un peu d'huile avec une noix de beurre, j'égouttai et séchai mes tranches d'artichauts avant de les faire sauter quelques minutes à feu moyen avec l'oignon. Puis vint le moment d'ajouter les pois et les fèves, une goutte d'eau, une pincée de sel marin, du poivre noir et de mettre le tout à mijoter joyeusement. Un arôme appétissant se répandit dans la *cucina*. À ce moment-là, je me sentais presque calme. Quand les fèves et les pois sont tendres à point, ni trop mous, ni trop fermes, on doit retirer la casserole du feu, ajouter une poignée de persil haché, un filet de la meilleure huile et laisser refroidir pour que les parfums se mêlent dans une parfaite harmonie de saveurs printanières. On obtient ainsi un délicieux déjeuner servi avec quelques épaisses tranches de pain et de la ricotta bien fraîche.

Bien sûr, mon frère Mauro arriva dans les premiers. J'évitai soigneusement de croiser son regard mais je sentais le sien posé obstinément sur moi. Mes joues s'empourprèrent. Quelle idiote je faisais.

PANE

(Pain)

Chapitre treize

De toute manière, les choses étaient rentrées dans l'ordre. Mon Inglese était revenu et bien évidemment, Mauro ne m'intéressait pas le moins du monde. En revanche, mes autres frères, ceux d'origine, s'intéressaient beaucoup à lui.

Un matin, l'Inglese faisait la grasse matinée. Non seulement il n'était pas du matin mais il avait besoin, à l'en croire, de rattraper dans la journée les heures de sommeil dont je le privais la nuit.

Quant à moi, je ne reste pas au lit quand le soleil est levé. J'avais fort à faire, à commencer par le déjeuner des ouvriers et des animaux de la ferme, aussi matinaux les uns que les autres. Pour nous, les premières heures du jour sont les meilleures, quand on peut profiter de la fraîcheur avant que la canicule blanchisse la lumière rose de l'aurore et poisse nos vêtements. De plus, j'ai toujours détesté prendre du retard dans mon travail. Par conséquent, je ne demandais pas mieux que de le laisser dormir à l'étage pendant que j'étalais mes livres de comptes sur la vieille table et que, mes lunettes perchées sur mon nez, je me plongeais dans mes additions, déclarations d'impôts et autres opérations nécessaires à la bonne gestion de la ferme.

Hélas, ces minutes de tranquillité furent vite interrompues. À peine avais-je commencé à aligner les chiffres que, l'un derrière l'autre, Leonardo, Mario, Giuliano et Salvatore entrèrent dans la *cucina* en traînant les pieds. D'un geste de la main, j'ai réclamé le silence de crainte de perdre mon compte. Ils restèrent plantés là, à m'observer d'un air penaud accompagné de divers toussotements, reniflements et passages de doigts crasseux sur des visages assortis.

Une fois la somme inscrite au bas de la page, je les ai regardés par-dessus mes lunettes, comme une maîtresse d'école.

« Alors, de quoi s'agit-il ? »

Comme un seul homme, Mario, Giuliano, Giuseppe et Salvatore se tournèrent vers Leonardo, lequel chercha vainement quelqu'un sur sa droite. En tant qu'aîné c'était à lui de parler. Il respira profondément, frotta nerveusement ses grandes mains sur le fond de son pantalon et se lança :

« C'est au sujet de l'étranger. »

Je m'y attendais mais ne répondis rien, histoire de leur compliquer la tâche.

Estimant avoir lancé le débat, Leonardo attendait un soutien moral de la part de ses frères. À présent que le génie était sorti de la lampe, chacun d'eux voulut ajouter son grain de sel :

« C'est quoi cette histoire ?

— Tu jettes la honte sur la famille.

— Tu te comportes comme une *puttana*.

— Ça va nous attirer des ennuis.

— C'est comme lorsque Mamma s'est entichée d'Antonino Calabrese. C'était un étranger. Regarde ce qui s'est passé. Elle a dû lui tirer dans le cul, à la fin.

— Il n'est pas d'ici, Rosa.

— Les étrangers, c'est pas bon, moi je te le dis.

— T'as déjà eu un homme. T'as vu comment ça s'est terminé.

— Écoute Rosa, je ne te comprends pas.

— Tout ce qu'on dit là, c'est pour ton bien.

— On s'inquiète pour toi. »

Quant ils eurent relâché la vapeur, ils retombèrent dans un silence gêné.

« Quelqu'un a-t-il autre chose à dire ? » demandai-je, mon stylo suspendu au-dessus de la page. Pour bien faire, je les regardai l'un après l'autre.

Ils firent non de la tête, tout en se tortillant et piétinant encore un peu le dallage. Seul Giuseppe, qui avait l'estomac tout près du cerveau, crut bon d'ajouter :

« Il y a quoi pour déjeuner ?

— Tourte à la ricotta, répondis-je. Bon, si vous êtes bien sûrs de n'avoir rien à ajouter, vous pouvez partir. »

Non sans un certain soulagement, ils ressortirent de la *cucina* en rang d'oignons. Quand ils eurent descendu les marches menant dans la cour, je pus reprendre mes comptes en toute quiétude. Ils n'abordèrent plus jamais le sujet de l'Inglese, du moins pas en ma présence. Ils ne se montraient guère amicaux envers lui. L'Inglese faisait des efforts pour les dérider mais eux se contentaient de l'ignorer. Parfois, ils lui jouaient des tours. Une fois, ils posèrent un seau d'eau sur une porte pour qu'il le reçoive sur la tête en passant. Une autre fois, ils remplirent ses jolies chaussures de fiente de cochon. L'odeur resta imprégnée. Plus tard, quand ils se découvrirent un amour mutuel pour les jeux de cartes, leurs relations s'en trouvèrent grandement améliorées.

Chapitre quatorze

Durant les semaines qui suivirent la tragédie, je voyais du sang partout et pourtant la vie devait continuer.

Le premier événement notable fut l'arrivée du nouveau curé, le Padre Buonaventura. Nous fûmes tous surpris de le voir débarquer. Sachant que l'évêque n'était pas un rapide, nous ne l'attendions pas avant des mois. Pourtant, une semaine après les événements, le Padre Buonaventura faisait son entrée en ville, juché sur une mule famélique, le dos chargé de ses maigres possessions : un banjo, une panoplie de clubs de golf et une cage dorée (vide) servant de résidence au rat blanc perché sur son chapeau. Il était jeune, doté d'une épaisse chevelure et d'un râtelier éclatant dont il savait jouer à la manière d'une star de cinéma, ce qui ne tarda pas à provoquer une épidémie de ferveur religieuse parmi nos femmes. À peine eût-il secoué la poussière de sa soutane qu'une file de paroissiennes se formait devant le confessionnal.

Il n'eut pas le temps de chômer. D'abord, il lui fallut enterrer son prédécesseur. Autour de la tombe, une foule épaisse composée de filles et de matrones (dont la plupart étaient trop vieilles pour ce genre d'exercice) lui décochait des regards langoureux. Bien que Porcu le Sarde fût le seul à pleurer sincèrement le défunt, il fut impitoyablement écarté à coups de coudes de la fosse qu'il avait lui-même creusée.

Personne ne s'étonna lorsque la tête ébouriffée de Bino Forbicina fut retrouvée dans la fontaine du Campo di Santa Marta. Son corps (du moins supposait-on qu'il lui appartenait) réapparut de nombreuses années plus tard, quand un tremblement de terre détruisit la nouvelle route sur pilotis. Il était là, coincé à l'intérieur d'un pilier, parfaitement conservé. Bien sûr, les gens commencèrent à jaser. Beaucoup accusèrent la propre mère de Bino. Certains optaient plutôt pour sa belle-mère, la femme-montagne de Nebrodi. Je ne m'occupe pas de ce que racontent les gens, mais je me rappelle qu'à l'époque je trouvai étrange que mon neveu Nevio parte chercher fortune en Amérique justement à ce moment-là. Quoi qu'il en soit, le Padre Buonaventura enterra la tête avec tout le cérémonial requis, dans un cercueil de poupée fabriqué dans les règles de l'art par Rita Tombi.

L'après-midi même, il baptisa les petites siamoises qui furent prénommées Wanda et Wilma. S'étant liée d'amitié avec Angela Forbicina, Biancamaria Ossobucco leur tint lieu de marraine. Bien que la rumeur disant qu'elles étaient les filles de Guerra et Pace soit totalement infondée, Biancamaria Ossobucco était profondément attachée à ces pauvres petites créatures. Je suppose qu'à leur contact, elle se sentait plus proche de ses défunts maris.

Quant à moi, je faisais en sorte de remplir la béance laissée dans mon cœur par la mort de mes chers frères. L'Inglese m'y aida considérablement. Il fut ma bouée de sauvetage et j'ignore comment je m'en serais sortie sans lui.

Avec fierté, je lui fis faire le tour du propriétaire : les oliveraies, les plantations de citronniers, d'orangers et de cédrats ; les amandiers, les noyers, les châtaigniers et les pistachiers ; les vignes ; les vergers plantés de pêchers, de cerisiers, de pommiers, de poiriers et de figuiers ; sans oublier le carré de melons dont on suivait la croissance aux craquements. Ensemble, nous parcourûmes les champs en nous émerveillant de la blondeur des blés. Je lui montrai les travaux de réfection que j'avais entrepris depuis mon retour de Palerme ; les fermettes restaurées par mes soins, la presse à olives, la grange et son nouveau toit. Je lui présentai nos troupeaux de brebis et nos cochons joufflus, la laiterie où nous fabriquions la ricotta, la cave où nous stockions le vin et, en tout dernier lieu, mon jardin potager, où poussaient la plupart des légumes qui garnissaient nos assiettes.

Ensemble, nous préparâmes de splendides repas tirés de nos savoureux produits. Rien de bien compliqué. Par exemple, des salades de *tortiglioni* agrémentées de tomates crues et de basilic odorant, de la soupe aux légumes d'été, des spaghettis nappés de sauce tomate à laquelle nous ajoutions de la ricotta et des tranches d'aubergines.

Lorsque nous cuisinions côte à côte, j'avais l'impression de me retrouver à Palerme, à l'époque où nous étions seuls au monde. Dans ces moments-là, j'oubliais jusqu'à mes responsabilités. Mais dès que j'en sortais, je redevenais moi-même. Autrefois, nous prenions la vie comme un jeu. À présent, nous étions dans la réalité. J'ignorais si notre histoire porterait ses fruits ou si les tendres bourgeons moisiraient avant d'éclore, malmenés par le vent amer des contingences.

Chapitre quinze

Une nuit où la lune était pleine et brillante, je réalisai que le moment était venu de récolter le jasmin pour en faire le sirop dont on aromatise les confitures de courge et les merveilleux entremets à la pastèque qui font l'orgueil et la réputation de notre région.

Nous sortîmes donc, armés de paniers, le long de la piste charretière envahie d'herbes folles, de l'autre côté de l'oliveraie qui s'étage sur la colline. Quand on atteint le petit bosquet de figues de Barbarie, on coupe à travers la garrigue hérissée de chardons, où parfois un chat sauvage fait sa tanière, et l'on continue jusqu'à l'endroit secret où la vieille *cisterna* recueille les eaux cristallines de la source.

Il faisait encore très chaud. Les grosses gouttes salées qui perlaient sur ma nuque ruisselaient le long de mon dos, sous mes vêtements. L'air immobile était saturé d'insectes bourdonnants. Des mouches voraces s'attaquaient à mes jambes et mes bras nus. Je devais les chasser avec de grandes gifles.

Les effluves sucrés du jasmin nous guidèrent jusqu'aux grappes les plus fournies. Charmés par le chant d'un rossignol caché quelque part dans les branches, nous commençâmes la cueillette sous la clarté lunaire. C'est un détail qui a son importance car il paraît que le clair de lune rehausse le parfum du jasmin. Nous travaillâmes d'arrache-pied ; il faut beaucoup de fleurs pour obtenir un sirop assez concentré. Mais très vite, mon paresseux apprenti se lassa de la besogne et se mit à explorer les environs, cigarette au bec, particulièrement intéressé par la *cisterna* creusée dans le sol et cernée d'un muret à demi écroulé. On y descendait par une volée de marches.

J'avais fini de remplir les deux paniers. C'était suffisant et, de toute façon, nous n'aurions pu en transporter davantage. Sur l'eau noire de la *cisterna*, la lune se reflétait tel un immense disque d'argent.

« On pique une tête, *amore* ? demanda l'Inglese en déboutonnant sa chemise.

— Là-dedans ?

— Pourquoi pas ? »

J'aurais pu lui fournir plusieurs raisons. Il fallait se dépêcher de mettre les bouquets de jasmin dans l'eau sinon ils perdraient de leur fragrance. Nous n'avions pas de serviettes. Quelqu'un pouvait nous surprendre. Personne n'avait jamais fait cela. Nous n'avions pas l'habitude de nous amuser à ce genre de choses.

Tout cela pour répondre platement : « Pourquoi pas, en effet ? »

Ensuite, ce fut à qui se déshabillerait le plus vite pour se jeter à l'eau. Il me battit de presque rien car il plongea dans la *cisterna* tandis que je descendais avec prudence la volée de marches. Nous avons poussé de grands cris. Dieu que c'était froid ! Je ne m'y attendais pas. On aurait cru que les rayons du soleil ne parvenaient pas à réchauffer cette eau, dans la journée. Et elle était si profonde que nous n'avions pas pied. Nous devions agiter bras et jambes pour rester à la surface. C'était franchement rafraîchissant.

Puis une voix retentit :

« Vous n'êtes pas en train de vous noyer, j'espère ? »

Mauro nous regardait, assis sur le muret, juste au-dessus.

« J'ai entendu des cris, expliqua-t-il.

— On se rafraîchit, c'est tout », dis-je.

Je voulais sortir de l'eau mais pas devant lui. Or, il ne semblait nullement pressé de s'en aller. Au contraire, il alluma une cigarette et s'installa à son aise. Nager ne m'amusait plus du tout, avec cette paire d'yeux braquée sur moi. Je regrettais même d'avoir eu cette idée. Je me sentais stupide.

« Je sors, annonçai-je. Alors si ça ne te fait rien, tourne-toi.

— Tu veux que je te passe une serviette ?

— Ça ira, merci. »

À grands renforts d'éclaboussures, l'Inglese monta les marches. Au même instant, un mouvement attira mon regard. Quelque chose nageait sous la surface. Une grosse chose poilue avec des dents acérées et une queue velue. Un ragondin.

Je hurlai. Mon cri se répercuta sur les parois arrondies de la *cisterna*. De tous les animaux de la création, le seul capable de me faire dresser les cheveux sur la tête, c'est bien le ragondin. Tout me déplaît dans ce monstrueux croisement entre le rat et le castor, doté d'une grosse queue horrible et de dents tranchantes. Cette expérience cauchemardesque allait sans doute me hanter jusqu'à la fin de mes jours.

Je brassai l'eau aussi vite qu'un athlète olympique. Une fraction de seconde plus tard, j'étais en haut des marches, sur la terre ferme. Peu m'importait que Mauro se rince l'œil ou pas. L'essentiel était de ficher le camp.

En m'efforçant de me cacher avec les bras, je passai en trombe devant l'Inglese et courus jusqu'à nos vêtements. J'avais déjà vécu ce genre de scène en rêve. Souvent.

Je ne voyais plus Mauro ; l'obscurité l'avait englouti mais je sentais encore son regard sur mon corps. Quand on est mouillé, les vêtements collent à la peau. Les miens m'avaient déclaré la guerre. Impossible de les enfiler. Dans la lutte, je déchirai une manche. Je ne possédais que des vieilles robes râpées, à l'époque. Il aurait fallu que je pense à en acheter d'autres. Nous étions presque habillés quand l'Inglese poussa un cri de surprise. Puis il s'écroula en se tenant le pied et en hurlant comme un loup.

Je suis sûre d'avoir entendu un rire venant de la colline.

« J'ai été mordu, gémit-il entre ses dents serrées. Sûrement un serpent. »

Mais ce n'était pas un serpent. Il y avait quelque chose dans sa chaussure. Sous la clarté lunaire, je finis par l'apercevoir : un scorpion écrasé.

« C'est mortel ? demanda-t-il, pâle comme la lune.

— Mais non, répondis-je. Ce n'est pas pire qu'une piqûre de frelon. Tu survivras. »

Chapitre seize

Je dus presque le porter pour le ramener à la ferme, en plus des deux paniers de fleurs que, par entêtement, j'avais refusé d'abandonner sur place. Une fois arrivée, tandis que les papillons de nuit cognaient aux vitres et avant que se dissipent le parfum et le clair de lune, je plongeai le jasmin dans des brocs d'eau dont je scellai les cols avec des poids. L'essentiel étant de garder les fleurs immergées et d'empêcher l'air d'entrer.

Cette nuit-là, ce fut la douleur et non la passion qui nous tint éveillés. Le pied de l'Inglese gonfla comme un melon, les lèvres de la blessure virèrent au violet, si bien que le lendemain matin, une fois l'eau de jasmin filtrée, je dus sortir récolter les courges toute seule.

On dit que plus laide est la courge, meilleure sera la confiture. À mon grand plaisir, dans le carré réservé à ce légume, je découvris quelques spécimens d'aspect hideux : des choses longues et fines comme des anguilles, avec des verrues, d'étranges renflements et des couleurs délavées. Certaines avaient même des poils.

De retour dans la *cucina*, tandis que l'Inglese gémissait et se prenait en pitié, je pelai et tranchai grossièrement les courges, puis je les fis bouillir *al dente.* Après avoir jeté leur eau, je les étalai sur des plateaux que je portai dans la cour, en plein soleil, pour qu'elles sèchent, se ratatinent et gagnent en saveur. J'adore faire entrer le soleil en tant qu'ingrédient dans mes plats. Il sublime les goûts, les colore d'une façon unique. Cela me rappelle l'époque où nous préparions le *'strattu*, dans le jardin de la villa de Palerme, avant le départ de l'Inglese. Son départ. Il s'en irait de nouveau, je le savais au fond de mon cœur.

« Que faisons-nous pendant que ça sèche ? demanda-t-il.

— Les milliers d'autres choses qui attendent d'être faites, répondis-je.

— Oui, mais d'abord, il faut que je m'allonge, dit-il avec espièglerie, je me sens encore faible ». Et se hissant sur la table, il se coucha parmi les pelures, les graines de courges et les quelques fleurs de jasmin que j'avais écartées et qui commençaient à dégager une odeur musquée de fermentation. La tête posée sur un sac de sucre, il me fit signe de grimper sur lui. Je me concertai rapidement avec ma conscience. D'ordinaire, je suis quelqu'un de très méticuleux et ordonné mais, ce jour-là, je me dis que j'avais toute la vie pour faire la lessive, récurer les sols, pétrir la pâte, peler les poivrons, cueillir les pêches et nourrir les poulets. Je ferais tout cela après, quand il serait parti. Quand il serait parti. Pour l'instant, je comptais bien mordre la vie à pleines dents. Toute résistance vaincue, j'entrepris d'ôter ma robe – pour lui éviter le sort de la précédente. Mon corps était criblé de piqûres de moustiques, comme si j'avais la rougeole. Cela m'apprendrait à courir nue dans la campagne, après la tombée de la nuit. Comme il me regardait faire, je sentis une moiteur tiède monter en moi. Finalement, je grimpai sur la table qui riposta en grinçant. Nous partîmes d'un grand éclat de rire. Un coléoptère bleu passa dans un bourdonnement. Les poulets criaient famine. Je m'assis sur son visage et il me suça si bien que je me mis à bramer. C'était tellement bon, tellement merveilleux. Je crus défaillir.

Je ne vois pas très bien pourquoi mais quand j'étais avec lui, le temps s'effaçait. J'avais cru que dix minutes s'étaient écoulées. En fait, nous avions fait l'amour pendant deux heures. La matinée touchait à sa fin et le soleil brillait à son zénith. Dehors, la lumière était aveuglante et l'heure du déjeuner approchait. Je devais me dépêcher de préparer le repas des ouvriers. J'avais prévu autre chose mais faute de temps, j'optai pour un plat beaucoup plus rapide à confectionner : la *pasta fritta*, c'est-à-dire les pâtes de la veille, que je comptais donner aux cochons, frites avec du fromage râpé. C'était délicieux en soi mais hélas, je n'avais pas eu le temps de cueillir et de préparer un accompagnement de légumes, et nous manquions de pain, ce qui me valut quelques récriminations en sourdine sur la qualité en baisse. Je me jurai que cela ne se produirait plus. Je mettais un point d'honneur à ce que nos ouvriers soient les mieux nourris de la région et je ne voulais pas les décevoir. Mais en même temps, je jouissais en secret des frémissements joyeux de mon corps et je souriais aux anges en repensant aux sublimes orgasmes volcaniques qui m'avaient secouée quelques minutes auparavant.

Après le déjeuner, pendant que nous débarrassions, les fermiers allèrent s'allonger une heure à l'ombre des orangers ou dans la grange. Je rentrai les courges. Elles étaient à point : légèrement caoutchouteuses mais encore un peu humides. Je montrai à l'Inglese comment les couper en dés puis je les plaçai dans un chaudron en ajoutant leur poids en sucre et juste ce qu'il fallait d'eau. On remue le mélange sans arrêt jusqu'à ce qu'il commence à frémir. Ensuite, on verse l'eau parfumée au jasmin. Ni trop, ni trop peu. La mixture dégagera ainsi une merveilleuse fragrance et s'épaissira peu à peu. Quand le sirop colle au dos de la cuiller et que les morceaux de courges sont bien tendres, on passe au remplissage des bocaux stérilisés. On verse doucement, à ras bord pour qu'il ne reste pas d'air, puis on referme vite.

Le temps que les bocaux refroidissent, je demandai à l'Inglese de noircir les étiquettes de sa belle écriture. Quand je les collai, je ressentis une intense satisfaction devant ces belles conserves vert pâle. J'en ai gardé un bocal en souvenir, dans mon coffre aux trésors. Certes la couleur s'est fanée avec le temps, passant du vert au gris, l'étiquette a jauni. Je ne le mangerai jamais mais chaque fois que mes yeux se posent dessus, me revient en mémoire la nuit d'été où nous cueillîmes le jasmin et nageâmes dans la *cisterna* avec le ragondin, la morsure du scorpion et cette matinée coquine, passée à faire l'amour sur la table de la cuisine.

Chapitre dix-sept

À cause de son pied blessé, l'Inglese fut le seul homme de la ferme à ne pas participer à la cueillette des cerises. Il resta au lit, avec un nouveau roman qu'il avait hâte de lire et son *pranzo* froid posé sur un plateau, car je n'avais pas le temps de cuisiner le midi. Il fallait travailler vite pour ramasser les cerises bien mûres, les mettre en caisses et les envoyer au grossiste de Catane avant qu'elles pourrissent. Même les vieux ouvriers à la retraite vinrent nous donner un coup de main, et ils n'étaient pas de trop.

C'était l'après-midi, à l'heure de la pause. Tout en haut du verger, nous étions trois. Le vieux Aulo ronflait comme un sonneur. Mauro et moi, assis à l'ombre, grappillions des cerises dans les paniers que nous venions de remplir. Elles étaient remarquables, cette année : grosses, noires, rebondies, sucrées, juteuses. Nous avions les mains cramoisies et le visage taché de pourpre, comme des petits enfants.

« Quel âge as-tu, Mauro ? lui demandai-je d'un ton badin, en faisant craquer sur ma langue une cerise qui emplit ma bouche d'une douceur succulente.

— J'aurai trente-six ans à la Santa Lucia. Pourquoi ? »

Ignorant sa question, j'effectuai un rapide calcul mental.

« Mais comment peux-tu avoir trente-six ans alors que papa est mort en 1927 ?

— Il n'est pas mort en 1927 mais l'année dernière.

— L'année dernière ? Non. C'est impossible. J'avais douze ans quand ça s'est passé. Je m'en souviens très bien. Sa tombe est dans le cimetière du village, tu peux aller vérifier.

— Je l'ai déjà fait. Il en a une autre à Saluci. Très semblable. Sauf qu'il a l'air plus vieux sur la photo. Et que les dates sont différentes, bien sûr. »

Je sentis mon front se plisser, comme chaque fois que j'essaie de comprendre quelque chose de difficile. Une autre tombe. Saluci. C'était totalement absurde.

« Tu sais, Rosa, poursuivit Mauro, c'est à toi qu'il a dédié ses dernières pensées. Je crois qu'il s'en est toujours voulu. Sur son lit de mort, il m'a dit : "Mauro, je veux que tu trouves Rosa. Dis-lui que je suis désolé. Demande-lui de me pardonner", et après il est mort. »

Je restai sans voix. Au loin, j'entendis le carillon assourdi d'une horloge musicale. J'étais sur le point d'apprendre une nouvelle qui bouleverserait l'idée que je me faisais de ma vie. Encore une fois.

« Je suis un peu gêné de te dire ça. Je suis nouveau ici, après tout. Mais il semble que Papa et ta Mamma ne s'entendaient pas très bien.

— Ils ne se sont jamais entendus. Je pense qu'ils ne se sont jamais aimés.

— Elle lui a dit que tu n'étais pas… Elle lui a dit…

— Que je n'étais pas sa fille ? Je suis au courant, c'est bon. »

Mauro poussa un soupir de soulagement avant de reprendre :

« Il a très mal pris la chose parce que tu étais sa préférée. La petite fille à son papa. Mais à la même époque, il est tombé amoureux de ma mère et ils m'ont mis en route. Alors, il a fait une chose qu'il a gardée sur la conscience le restant de ses jours : il vous a fait croire qu'il était mort et il est parti s'installer à Saluci, avec nous, pour repartir à zéro.

— Mais moi, j'y ai cru ! Je pensais vraiment qu'il était mort. »

J'avais l'impression de devenir folle. Ce n'était pas la première fois que je ressentais cela, loin s'en fallait.

« C'est un choc terrible, je sais, dit Mauro avec un regard de sympathie qui adoucit ses yeux noirs. Je lui ai demandé pourquoi il avait fait une chose pareille. S'il devait absolument partir, pourquoi ne pas en parler, garder des liens, revenir en visite… Mais abandonner sa famille comme ça, vous faire croire qu'il était mort, je n'arrive pas à comprendre.

— Il l'a fait à cause de Mamma, dis-je, elle ne l'aurait jamais accepté.

— C'est ce qu'il disait, abonda Mauro. D'après lui, elle l'aurait tué.

— J'en suis sûre. Elle a abattu froidement son deuxième mari, tu sais. Il est enterré par là. »

En parlant, je me tournai vers le lopin de terre anonyme où reposaient les restes d'Antonino Calabrese.

« Papa avait déjà essayé de partir une fois, renchérit-il. Elle lui avait tiré dessus. La balle est restée logée dans sa nuque. La blessure n'a jamais guéri.

— Moi qui croyais que c'était un furoncle couvert d'un emplâtre à la moutarde, fis-je éberluée. Quand je pense à Papa, je revois toujours cet emplâtre sur son cou. J'ignorais qu'il y avait une balle, en dessous. Et qu'il avait voulu partir. »

Je me parlais à moi-même autant qu'à lui :

« C'est étrange ce qu'on ressent quand on apprend qu'une chose à laquelle on croyait depuis très longtemps n'est en fait qu'un mensonge. C'est comme si je perdais tous mes repères, comme si je ne pouvais plus croire en rien, désormais. Je suppose que toi, ça ne te fait ni chaud ni froid.

— Non, plus maintenant, dit-il gentiment. Mais il faut essayer de se mettre à sa place. Il ne voyait pas d'autre solution. »

Mes yeux brûlaient. Je commençai à sangloter, recroquevillée sur moi-même. J'enrageais. Je me sentais trahie. Je me sentais bête.

« Pauvre Rosa. »

Mauro se pencha sur moi, me prit par l'épaule et faillit me serrer contre lui. Son odeur de beurre fondu, combinée à l'arôme juteux des cerises qu'il avait cueillies et mangées, produisait le parfum d'une pâte à gâteau.

« J'aurais préféré que tu l'apprennes par quelqu'un d'autre que moi.

— Ça va, reniflai-je. Tu n'y es pour rien. Il faut juste que je digère la nouvelle. C'est tout. »

Me dégageant de son étreinte, je me remis péniblement sur mes jambes et regrimpai à l'échelle, munie d'un panier vide. La cueillette des cerises. C'est incroyable le calme qu'on trouve dans les diverses activités de la ferme. Que ce soit le travail de la terre, les soins aux bêtes, la traite des brebis ou la préparation des repas, tout se fait avec une telle lenteur, une si grande sérénité. Il n'y a rien de mieux pour vous aider à trier vos pensées, pour retrouver la paix du cœur et de l'âme.

J'avais encore un tas de questions à poser mais je préférais attendre un peu. Mon pauvre cerveau avait déjà fort à faire pour gérer les premières informations.

Tandis que mes mains cueillaient les fruits avec la plus grande délicatesse, j'entrepris de remettre les choses en ordre dans ma tête. Quand j'avais douze ans, mon père chéri avait disparu, ne laissant derrière lui que son béret sur le sol de la cour, gisant comme une bête crevée. Ce béret faisait partie de lui – je ne l'avais jamais vu sans. C'était comme si j'avais découvert un morceau de son corps, jeté là, dans la poussière. Cela m'aurait fait le même effet. Je me rappelle encore l'horreur qui m'a saisie à cette vision. Le béret abandonné signifiait qu'il était mort, sans l'ombre d'un doute. Il aurait dû prévoir ma réaction, mon désespoir. Désormais, devant ce béret, je ne ressentirais plus rien sinon la gifle de l'imposture.

Ainsi, nous l'avions cru mort alors que l'année dernière encore, il vivait à Saluci, à une trentaine de kilomètres de chez nous, de l'autre côté du volcan, avec sa nouvelle famille. Et nous, pendant ce temps, nous avions enterré un cercueil vide, comme toutes les familles touchées par la *lupara bianca*, les disparitions causées par la Mafia. Je revois comme si c'était hier les jumeaux endimanchés, avec leurs knickerbockers et leurs tricornes. Et moi, je m'accrochais au béret de Papa comme à une bouée de sauvetage. Peu de temps après, le défilé des prétendants commença. Quand ce fut au tour d'Antonino Calabrese, les jumeaux et moi épiâmes par la fenêtre le couple qu'il formait avec ma mère, alors qu'ils se tortillaient dans le salon. Dans notre innocence, nous pensions qu'ils se battaient. Ensuite Mamma a épousé Antonino Calabrese, devenant par là même bigame et quelque temps plus tard, meurtrière.

« J'ai autre chose à te dire. »

Mauro se tenait au pied de l'échelle. D'une main, j'agrippai mon panier rempli de cerises, de l'autre je serrai ma jupe sur mes jambes pour éviter qu'il voie mes cuisses.

« Il est temps que tu connaisses toute la vérité. »

Mon cœur chavira. Qu'allait-il encore me révéler d'affreux ? Je baissais les yeux. Son visage pourpre était tendu vers moi, à travers le halo des feuilles.

« Je t'aime. »

Était-ce encore l'une de ses plaisanteries ?

« Je suis tombé amoureux de toi dès que je t'ai vue. Le jour de mon arrivée. Tu revenais de la cueillette des asperges. Tu avais l'air tellement farouche. »

Je ne savais que dire. Il continuait à me scruter à travers les feuilles, attendant qu'une réponse satisfaisante jaillisse de mes lèvres.

« D'abord, j'ai pensé que ce sentiment m'était interdit. J'ai essayé de le combattre. Mais c'est impossible. Tu n'es pas ma sœur. Nous avons le droit de nous aimer. »

Il ne me quittait pas des yeux, espérant toujours une réponse de ma part.

« Je ne t'aime pas. »

Au moins, c'était clair. Je n'avais pas l'habitude de tourner autour du pot.

« Tu l'ignores encore, rétorqua-t-il. Cet étranger te fait vivre dans un monde irréel. Tu t'illusionnes. Ce type n'est pas d'ici. Que fait-il, en ce moment ? Il rêvasse dans son lit alors que tout le monde travaille dur. Un jour, il retournera d'où il vient. Un jour, tu seras contente de le voir partir. On dit que l'amour est plus fort que tout mais ce n'est que balivernes. Des histoires à l'eau de rose. En fait, c'est absurde. »

Il se ménagea une pause avant de poursuivre :

« Pour durer, l'amour a besoin d'une base solide. Tu verras que j'ai raison. Il repartira. Et moi, j'attendrai. À la fin, j'aurai ma récompense.

— Tu parais vraiment sûr de toi.

— Je suis sûr de moi, dit-il. Tu veux que je te dise autre chose ?

— Non, répliquai-je, ça suffit comme cela.

— *Va bene*, concéda-t-il. Je la garderai pour plus tard. »

Puis il remonta à son échelle et reprit sa cueillette.

Les pensées se bousculaient dans ma tête. J'avais l'impression qu'elle allait éclater. Je lui avais juste demandé son âge. Cela m'apprendrait à poser des questions personnelles aux gens.

Cette nuit-là, je mis le béret dans le fourneau et le regardai se consumer. Une odeur de chien mort s'en dégagea. Je jetai au feu les souvenirs qui allaient avec, puis j'imaginai que la fumée représentait ma tristesse. Quand elle s'envola par la cheminée, tout fut terminé.

MERENDE

(Collations)

Chapitre dix-huit

À la saison des cerises succéda celle de la *festa*. Nous l'attendons chaque année avec une impatience fébrile, car en dehors des catastrophes naturelles – qui ne manquent pas, d'ailleurs –, nous n'avons pas beaucoup de distractions, par ici.

Naturellement, cette année, la *festa* comme tout le reste fut endeuillée par la perte des jumeaux. Pour ma part, j'avais un deuxième fardeau à porter depuis les étranges révélations de Mauro concernant Papa. Je n'arrêtais pas de me dire qu'il aurait pu me faire signe, puisqu'il vivait si près de nous. Toutes ces années de silence et maintenant, il était trop tard. Je n'arrivais pas à l'admettre.

Depuis des jours, on préparait le champ de foire où devait se tenir la *festa*. Un terrain vague plein de broussailles, derrière la vieille prison de Bourbon où, chaque année, le 17 février, il pleut des crapauds. Une chose encore plus horrible s'y déroulerait par la suite mais il n'est pas temps d'en parler.

Avant la *festa*, le village fourmillait toujours d'activité. Les gitans débarquaient avec leurs carrioles et leurs roulottes. Il y avait aussi des camions qui n'existaient pas autrefois. Et des tentes aussi. La seule chose qui ne changeait pas c'était la poussière omniprésente. On installa les stands, les scènes de spectacle, les enclos pour les bêtes et le grand ring réservé aux lutteurs.

Les gosses traînaient partout, toujours enclins à faire des bêtises. Inévitablement, il y avait quelques chapardages : des œufs, des poulets, voire une chèvre. Les villageois qui devaient participer aux concours du plus beau légume vivaient dans la peur que leurs meilleures pièces disparaissent de leur jardin pour se retrouver dans les marmites des gitans. En plus de l'ivresse publique et des bagarres, les gens d'ici craignaient les mauvais sorts. Le jour de la *festa*, les hommes étaient si excités qu'ils perdaient la tête. Les réjouissances se terminaient parfois dans le sang, avec des vendettas à la clé.

Cette année, à cause de la récente tragédie, nous hésitions à y participer mais à quoi bon se priver de ce plaisir ? Guerra et Pace avaient toujours adoré la *festa*. Ils auraient été fâchés que nous la manquions par leur faute. En outre, Biancamaria Ossobucco avait besoin de distractions car, depuis les meurtres, elle vivait cloîtrée chez elle, refusant de sortir. Quelques heures d'amusement lui permettraient d'oublier un peu le chagrin qui la dévorait comme une mite grignote un vieux manteau.

Quand le grand jour arriva, nous partîmes en ville, l'Inglese et moi. Son pied ayant dégonflé, il avait pu enfiler ses jolies chaussures. J'avoue que je n'étais pas peu fière de marcher à son bras. Malgré l'heure matinale, l'air était étouffant et, comme le noir redouble la chaleur, nous n'avions pas parcouru la moitié du chemin que déjà des gouttes de sueur perlaient à la racine de mes cheveux et dégoulinaient dans mon dos. Mes dessous trempés me collaient à la peau.

Sur le chemin, nous fûmes rejoints par une foule de gens, dont Rosario qui avait revêtu ses habits du dimanche, avec une cravate et une rose à la boutonnière. Sauf erreur de ma part, il avait même pris un bain, d'où ce teint fleuri que nous ne lui connaissions pas. Certains ouvriers se moquaient de lui en disant qu'il allait à la *festa* pour chercher une femme. Depuis quelque temps, je trouvais son comportement franchement bizarre. Je me faisais du souci pour lui.

Quand nous sommes arrivés sur le champ de foire, toute la région y était déjà. Le volcan, lui-même d'humeur guillerette, crachait des filets de fumée rose pâle dans le ciel sans nuages. Un vacarme assourdissant montait de la foule, entre les bavardages des villageois qui trépignaient d'impatience, les rires des enfants surexcités et les harangues des marchands et colporteurs qui vantaient leurs articles en hurlant :

« Limonade. »

« Granita. »

« Lignes de la main – résultats garantis. »

« Jambes de bois, prix cassés. »

« Crèmes de beauté. »

« Fausses dents. »

Des mendiants arborant d'hideuses difformités étaient allongés par terre ; la foule les piétinait et leurs cris se mêlaient à ceux des animaux : braiments des mulets attachés en rang d'oignons, piaillements des oiseaux exotiques sous la tente de l'oiseleur, bêlements des chèvres de Simple Fogna qui, massées autour de lui, dégageaient une forte odeur de poussière et de crottin.

Bien entendu, toute ma famille était de sortie. Le ban et l'arrière-ban. Pas moyen d'y échapper. Mes neveux et nièces semblaient investir tout l'espace à eux seuls. Ils jacassaient et lançaient des galéjades sur Zia Rosa et son « chèvrefeuille », comme ils appelaient l'Inglese.

Une fois franchie la barrière, nous nous dirigeâmes vers les splendides étalages de légumes. J'adorais ce spectacle dont je savais que l'Inglese allait se régaler, lui aussi. Étaient rassemblés là tous les trésors de notre région fertile. Il valait mieux arriver tôt car, sous une telle chaleur, les plus beaux légumes se flétrissent à la vitesse grand V.

Les aubergines de Sempronio Baldacucci remportent toujours le premier prix. Cette année, il gagnerait encore, c'était évident. Jamais je n'avais vu d'aubergines aussi grosses, de la taille d'un melon. Leur peau brillante et lustrée avait une couleur pourpre foncé, à la limite du noir.

Comme d'habitude, Innocente Capone dont les enfants avaient épousé mes nièces et mes neveux, si bien que nos deux familles croissaient au même rythme, mêlées comme des vrilles de haricots, exposait ses magnifiques oignons roses. Ils sentaient si fort que le nuage acide qui en émanait faisait pleurer tous les passants. Tandis que les juges munis de leurs écritoires à pince braillaient dans leur coin, Innocente, assuré d'obtenir la médaille d'or, versait des larmes épaissies par le suc de ses oignons.

Plus loin, nous pûmes admirer des poivrons aux formes plus extravagantes les unes que les autres, des courges – dont les plus obscènes remporteraient les plus hautes récompenses – et des sculptures végétales constituées de têtes d'ail tressées : la composition gagnante représentait une charrette grandeur nature avec sa mule, le tout fabriqué par la famille Dragotto qui avait fait la route depuis Belpasso avec cet attirail sur le dos. C'était impressionnant, évidemment, mais comme toujours, je préférais les tomates. Il y en avait beaucoup de très belles, dans d'innombrables variétés, depuis les énormes cœurs-de-bœuf de la taille d'un ballon de foot, jusqu'aux adorables tomates cerises pas plus grosses que des billes. Leur parfum douceâtre emplissait l'air et leur chair écarlate étincelait comme une couche de peinture fraîche sur le marron poussiéreux du champ de foire.

Les fruits de saison étaient splendides : pêches, abricots, fraises, framboises, melons, magnifiquement disposés sur de vastes étals. Mon Dieu, quel parfum extraordinaire ! L'essence même de l'été.

Des sujets en massepain s'alignaient à l'ombre d'un auvent, mais la chaleur était telle que certains commençaient à fondre. Voyant cela, Betta Brina proclama que sa madone versait de vraies larmes, que c'était un miracle et que la victoire lui revenait de droit. En fait de miracle, je voyais bien que les prétendues larmes n'étaient que de l'huile d'amande. J'avais bien songé à concourir dans la catégorie « Madone en extase » et « Animaux » car mes agneaux de Pâques et mes porcelets forçaient l'admiration de tous mais hélas je n'avais pu me préparer ; depuis son retour, l'Inglese me prenait tout mon temps libre, sans parler du meurtre des jumeaux et de tout ce qui avait suivi. Or, il n'était pas question que je me présente au concours si je n'étais pas sûre de gagner. Je suis très fière de ma *pasta reale*. Un jour, je participerai et je remporterai le premier prix.

La tente aux cochonnailles abritait des saucisses de diverses formes et tailles. Certaines minuscules, pas plus épaisses qu'un pouce de bébé, d'autres longues et étroites, ou bien courtes et replètes. Il y en avait de toutes les couleurs : des roses, des rouges, des violettes, des noires, des marron et même des vertes. Sans surprise, le premier prix revint au vieux Rospo dont les cochons avaient le goût inimitable que j'ai évoqué plus haut.

Nous nous attardâmes devant l'étal des jambons cuits et crus, fumés ou nature. Nous goûtâmes de tout, je crois. L'Inglese était aux anges. Il me fourrait dans la bouche tantôt un chapelet de ceci, tantôt une tranche de cela, en distribuant des compliments à la cantonade.

Comme nous quittions la tente, je suis tombée en admiration devant le porcelet de Samuele Contaggi. Pourtant Dieu sait que nous n'en manquons pas, à la ferme. Je regardai l'animal dans les yeux et son nom me vint comme une inspiration soudaine : Nerissa.

Dans la tente voisine était organisée une dégustation de fromages régionaux. Nous goûtâmes le pecorino frais, le pecorino étuvé, le pecorino salé et celui qu'on saupoudre de poivre en grains. De même, nous essayâmes plusieurs sortes de ricotta : fraîche, salée, cuite, celles qui contiennent des fruits confits, de l'écorce d'orange, de citron, de l'angélique, des raisins de Smyrne et même du chocolat. Elles étaient toutes excellentes. Tous les fromagers locaux étaient réunis, même cette commère de

Mafalda Pruneto qui, bien que retirée du métier, ne pouvait s'empêcher de ramener sa fraise. Non seulement elle avait oublié les désastres fromagers qu'elle avait prédits peu de temps auparavant, mais elle clamait haut et fort que cette année serait excellente et qu'aucun fromage ne rancirait.

Ensuite, nous sommes passés devant les confitures, les légumes au vinaigre, les légumes frais en bocaux, les olives et les huiles d'olive, les rayons de miel encore fixés aux panneaux, les pots de miel liquide, les vins, les liqueurs et tout au bout, les miches de pain en forme de madone, grandeur nature, et d'ange Gabriel avec les ailes et tout et tout. De vrais chefs-d'œuvre.

Cette promenade bariolée ressemblait à une autre que nous avions faite, à Palerme, alors que nous venions de nous rencontrer, voilà des siècles. Nous avions arpenté le marché Viruccia, comme deux amoureux timides, enfin surtout moi. Nous n'étions pas encore amants. À présent, nous pouvions rire ensemble comme deux personnes vivant en couple depuis longtemps. Sauf que nous ne formions pas un couple. Nous étions des étrangers l'un pour l'autre. Nos corps se connaissaient à la perfection, mais nos esprits ? Voilà que je recommençais à ruminer alors que je m'étais juré de n'en rien faire et de vivre dans l'instant. J'y songerais plus tard. Quand il serait parti. Me revint en mémoire la réflexion que Mauro m'avait faite, le jour des cerises. Le ver était dans le fruit.

Chapitre dix-neuf

Les gens qui nous regardaient passer se poussaient du coude en blaguant. Le mot *straniero* était sur toutes les lèvres. Je n'en avais cure tant je me sentais fière. Qu'ils nous dévisagent donc. Après les stands de concours, nous sommes partis vers le marché. Nous nous arrêtions à chaque étal.

L'Inglese, sous le charme, discutait avec les commerçants, faisant emplette de toute sorte d'objets inutiles, comme un lave-pont avec son seau, un filet à papillon, un miroir grossissant, une bouteille d'encre invisible. Il insista pour acheter un perroquet à un vieil oiseleur efflanqué. Cet homme, je le connaissais depuis ma tendre enfance. Chaque année, il venait à la *festa*. Les oiseaux en cage ne me disaient plus rien depuis la mort de ma chère Celeste, engloutie dans l'incendie qui avait détruit mon modeste logis, à Palerme. Quoiqu'à y bien réfléchir, c'était sans doute cet oiseleur qui nous avait vendu Celeste, trente ans auparavant.

L'Inglese fit taire mes protestations en disant :

« Fais-moi confiance, signorina. Ce perroquet est notre perroquet. »

La cage dorée et son occupant, un petit perroquet vert orné d'une crête rouge et d'une barbiche jaune, vinrent s'ajouter à la brassée d'objets hétéroclites. Et nous sommes repartis arpenter les allées du marché.

L'Inglese était excité comme une puce quand il se planta devant l'éventaire de Merlo, l'apothicaire. Prenant à part le vieux charlatan, il lui murmura longuement à l'oreille :

« Je suis très inquiet… Il y en a eu sept la nuit dernière… Cinq la nuit d'avant… et ça continue… C'est peut-être l'eau. Qu'en pensez-vous ?… Ce sale truc marron… »

À en juger d'après l'expression ravie qui s'étalait sur son visage, le vieux Merlo devait se dire que sa fête arrivait en avance sur le calendrier. D'un geste preste, il sélectionna une demi-douzaine de flacons de couleurs variées, plusieurs tubes de pilules et se mit à gribouiller un mode d'emploi. Le traitement semblait très compliqué. Et cher.

« Résultats garantis, vous dites ? fit l'Inglese. Chouette alors ! »

Je n'aime pas me mêler des affaires d'autrui. S'il avait des ennuis de santé et ne voulait pas m'en parler, je devais respecter sa pudeur. J'ai donc poursuivi mon chemin dans l'allée, jusqu'au prochain étal : Ballotta Lingerie. Sous la marquise, des sous-vêtements géants pendaient comme des voiles de navire. À côté, s'alignaient des bandages herniaires et autres ceintures de contention, des chemises de nuit assez couvrantes pour convenir à des nonnes et un corset en caoutchouc, comme celui que l'Inglese avait dû attaquer au couteau pour m'en extraire, voilà bien longtemps. Il éclata de rire en le voyant.

« Je me souviens de toi, vilain corset », dit-il en le pinçant d'un geste taquin avant de se tourner vers la gitane édentée qui tenait la caisse.

« Vous n'avez rien de plus léger ? demanda-t-il. De plus adapté à cette température ?

— Pas vraiment, répondit-elle d'une voix chuintante à peine compréhensible. Je vends pas de trucs fragiles. »

Mais après avoir fourragé dans un carton, elle poussa un cri de triomphe et brandit un corset en dentelle vaporeux, le genre de chose qu'une jeune mariée se doit d'avoir dans son trousseau. Carrément fragile, pour le coup.

« C'est parfait », s'écria-t-il en le tenant à bout de bras.

En une seconde, le corset fut payé, emballé et se retrouva coincé sous son coude.

Pour lui, je choisis des cadeaux plus utiles : un chapeau de paille orné d'un élégant ruban bleu, une tapette à mouches et une bouteille d'eau de Cologne citronnée Albo Bonazinga.

Nous étions arrivés à la fin du marché. Heureusement, car nous croulions sous le poids de nos achats.

Chapitre vingt

L'espace suivant était consacré aux curiosités. Les gens payaient pour reluquer les malheureux qu'on exhibait sous des tentes. Je n'ai jamais aimé cela. Si je n'étais pas intervenue le jour où ces hommes avaient tenté de les enlever, Guerra et Pace auraient pu passer leur vie dans une baraque foraine à se faire tripoter par des amateurs de sensations fortes. J'espérais que la pauvre Angela Forbicina avait pris soin de cacher ses bébés. Nous avons donc évité la femme à barbe, la femme-chat dotée d'une vraie queue, le géant, l'homme-serpent, un cul-de-jatte couvert d'écailles argentées et la femme-canard affublée d'un vrai bec, si l'on en croyait l'affiche.

Plus loin, il y avait les extralucides, les chiromanciens et les spécialistes de la boule de cristal. Des dizaines de personnes attendaient leur tour en faisant la queue, essentiellement des jeunes gens, filles et garçons. Je fus surprise de voir Rosario sortir d'une tente. J'espérais qu'on ne lui avait pas bourré le crâne avec des niaiseries ; il en contenait déjà assez.

Sur la grande piste circulaire réservée aux exercices de force, cohabitaient les équipes locales de tir à la corde, les champions de bras de fer et de lever de cochon. Le clou du spectacle était une épreuve ouverte à tous ceux qui se croyaient assez costauds pour soulever Santina Maccarone, la reine du carnaval.

Santina Maccarone est une chanteuse célèbre. Elle a sillonné le monde entier sur des paquebots. Elle a vu tout ce qu'il y a à voir. Elle a fait naufrage plusieurs fois. Elle a même été enlevée par des pirates. Autant dire que plus rien ne l'étonne. Sa réputation tient également à sa taille et à son poids hors du commun. En tant que plus grosse femme de la région, les gens d'ici l'ont nommée reine du carnaval, fonction qu'elle occupe chaque année, quand ses tours de chant lui en laissent le loisir.

On disait que Santina avait passé les derniers jours à se gaver, plus encore qu'à l'accoutumée. En effet, dans le cas où personne n'arriverait à la soulever, ce serait elle qui empocherait la récompense d'un millier de lires auxquelles s'ajoutait un an de pâtes gratuites, offert par Pasta Fresca Morabito.

Toujours d'après les on-dit, Silvia et Basilio Morabito se faisaient un sang d'encre. Leur commerce battait de l'aile à cause de la crise et, si jamais Santina gagnait, ils n'auraient plus qu'à mettre la clé sous la porte, tant son appétit était incommensurable.

Quand nous sommes arrivés, plusieurs gaillards avaient déjà tenté leur chance. Ces fiers à bras étaient repartis la queue basse, avec une hernie en prime. Soudain, je vis mon frère Mauro se poster devant la bassine remplie de farine de maïs où il plongea les mains en attendant son tour.

Bien calée au fond de son trône surélevé, sous lequel les concurrents devaient se glisser pendant que les juges postés autour surveillaient les opérations,

Santina Maccarone savourait sa victoire en insultant copieusement les perdants, allant même jusqu'à mettre en doute leur virilité. Quand Mauro fut prêt, le compte à rebours commença.

Je n'avais pas envie qu'il se blesse car c'était un bon ouvrier agricole et la saison des moissons approchait. Le silence tomba sur le champ de foire. Mauro se signa et récita une prière silencieuse à la Madone. La tension culmina lorsqu'il se glissa sous le siège et se mit à pousser. Pendant quelques secondes, tout le monde crut qu'il allait échouer. Il se tendit. Son visage devint aubergine. Les veines saillaient sur son cou. Ses yeux exorbités, injectés de sang me firent redouter qu'il n'explose sous l'effort, comme Salvo Musolino, l'année précédente.

Tout à coup, on vit remuer les pieds du trône. Puis ils décollèrent du sol et Santina Maccarone se retrouva perchée entre ciel et terre. Ou plus exactement sur le dos de Mauro. La foule éclata en applaudissements, en vivats. Mauro la souleva encore plus haut, fit quelques pas, poussant l'audace jusqu'à s'accorder un tour de piste triomphal avec Santina Maccarone en équilibre au-dessus de lui. Personne n'avait jamais rien vu de tel.

Finalement, après un temps qui nous parut interminable, il la reposa. Aussitôt ses admirateurs se précipitèrent. À son tour, il fut porté en triomphe. Donna Rea Reparata Gusto, la femme du maire, lui remit la médaille. Dans le journal local, sortirait une photo montrant la mairesse en train de tâter ses gros biceps. Cette coupure de presse est encore collée dans mon album. Puis Mauro, dans un geste munificent, annonça qu'il partageait son prix avec Santina Maccarone : il garderait l'argent et elle profiterait d'une année de pâtes gratuites. En entendant cela, Santina Maccarone joignit ses grosses menottes comme une petite fille émerveillée. Ses yeux porcins luisaient de convoitise. Quant aux malheureux Silvia et Basilio Morabito, ils regrettaient amèrement d'être venus.

Dans l'arène, une autre compétition débutait. Un défilé de mulets accompagnés de leurs maîtres pénétra dans le cercle pour le concours du muletier qui ressemble le plus à sa mule. Cette épreuve distrayante est censée encourager la bonne humeur mais les participants la prennent très au sérieux. Cette année, les prétendants au titre étaient nombreux, chacun ayant de bonnes chances de l'emporter. Je fus surprise de constater l'absence de Rosario qui s'inscrivait tous les ans avec son mulet Carciofo, bien qu'il ne gagnât jamais. Après qu'elle eut examiné et comparé les dents de chacun des candidats, ainsi que leurs moustaches et leurs genoux, Donna Rea Reparata Gusto désigna les vainqueurs : le vieux Licurgo Pastone et sa mule Dolores.

Chapitre vingt et un

Le grand moment de la *festa*, plus exactement sa seule raison d'être, est la procession. Nos jeunes demoiselles, habillées en Sainte Vierge, défilent dans les rues de la ville jusqu'au champ de foire où elles effectuent une démonstration de danse folklorique avant la bénédiction du prêtre. Il faut admettre que cette pieuse tradition évolue chaque année davantage vers le concours de beauté.

Comme d'habitude, plusieurs de mes nièces y prenaient part : il y avait là Rea Silvia, Pupa, Tranquilla, Biancofiore, Modeste, Amoretta, Etna, Carita, Belcolore, Anna Monica, Maria Maddalena, Frugolina, Occhibella, mes petites-nièces Magnolia et Mimosa, Stella et Luna, Ginevra, Franca, Ambra, Teresa, Floria, Gardenia, Perla, Camelia, Anna Daria, Anna Carla, Anna Marta, Antonina, Roberta et, en bout de file, les petites Rosa, chaperonnées par Biancamaria Ossobucco sous son voile de grand deuil. Rosario la suivait comme une ombre, ce qui m'inquiéta car la procession est strictement réservée aux femmes. Les pères et les frères qui assistaient au défilé allaient sans doute le remettre dans le droit chemin.

En découvrant la tenue de mes nièces les plus délurées, et de certaines parmi leurs compagnes, je me suis dit que la Madone ne serait jamais sortie dans la rue ainsi accoutrée. Les plus âgées étaient maquillées comme des voitures volées. Leurs costumes, très suggestifs, provoquèrent maints commentaires fort peu catholiques de la part des jeunes gens de la région qui, bien entendu, ne ratèrent pas une miette du spectacle.

Quand les jeunes filles se disposèrent en ordre pour danser, il m'apparut de manière flagrante que ma nièce Etna avait un gros problème. Lui manquait une bonne partie de sa jupe. Ce qu'il en restait couvrait à peine ce qu'il convient de cacher. L'Inglese m'apprit qu'il s'agissait d'une « minijupe » et que ce bout de tissu faisait fureur dans le reste du monde. Eh bien, j'aime mieux vous dire qu'ici, dans ma région, nous n'avions jamais rien vu de tel.

Avant que l'orchestre attaque, ma belle-sœur Pervinca, voyant la honte s'abattre sur la famille, fendit la foule sans prendre garde aux insultes qui l'accablaient, franchit les barrières et, dans un sprint, rejoignit le groupe de danseuses qui attendaient le signal de départ. Reniflant aussitôt le danger, Etna prit ses jambes à son cou mais fut vite rattrapée par sa mère à qui la colère donnait des ailes. Pervinca empoigna sa fille dévoyée, la plaqua au sol et la maintint par les cheveux en lui marmonnant des imprécations censées résumer ce qui l'attendait à la maison.

Puis le spectacle débuta pour de bon. Je n'avais d'yeux que pour mes adorables petites Rosa qui caracolaient en brandissant leurs crucifix, sans jamais perdre la cadence bien qu'elles soient les plus jeunes de la troupe, et de loin. J'en pleurai d'orgueil. Les jumeaux auraient été si fiers. Mes pauvres garçons. Sur mes joues, des larmes de chagrin se mêlèrent aux larmes de joie. Comprenant mon émotion, l'Inglese me prit dans ses bras et me serra très fort.

Après la bénédiction, le Padre Buonaventura, bien qu'entouré d'un groupe d'admiratrices adolescentes, réussit à gagner la tente abritant le buffet. J'avais déjà remarqué que, depuis son arrivée parmi nous, plusieurs de mes nièces s'étaient découvert une passion pour la messe.

Chapitre vingt-deux

La *festa* était presque terminée, du moins pour certains. Après la procession, les hommes ont tendance à aller boire un coup, les femmes à reprendre le travail. Il faut s'occuper des enfants épuisés, des bêtes affamées. *Festa* ou pas *festa*, personne ne le fera à leur place.

« Que se passe-t-il sous cette tente-là-bas ? me demanda l'Inglese.

— Oh rien d'important, juste des hommes qui jouent aux cartes », répondis-je. J'avais besoin de m'asseoir d'urgence après avoir passé l'après-midi debout sous une chaleur torride. Comme toujours, ma vanité ayant muselé ma raison, mes chaussures neuves m'avaient donné des ampoules.

« Qui jouent aux cartes ? s'écria-t-il tout émoustillé. Si nous jetions un coup d'œil ? »

Nous entrâmes donc dans la tente. Comme je le soupçonnais, il n'y avait pas grand-chose à voir, à part des types assis en train de taper le carton. Rien de passionnant.

« Voilà, dis-je, et maintenant si nous allions rejoindre Biancamaria Ossobucco et les filles pour manger une *granita* ?

— J'aimerais tenter ma chance. Juste cinq minutes, insista-t-il. Enfin, si cela ne t'ennuie pas.

— Non », répondis-je, un peu surprise.

Cela ne m'ennuyait pas. Mais quel intérêt y avait-il à jouer aux cartes ?

« Je vais rejoindre les petites. On se retrouve ici tout à l'heure. »

Chargée de presque tous les paquets (hormis les médicaments qu'il garda avec lui), je partis à la recherche de Biancamaria Ossobucco et des filles. Comme la foule était encore dense. J'avais bien envie d'abandonner le lave-pont et le seau, plus diverses autres bricoles encombrantes que nous possédions déjà à la maison en plusieurs exemplaires. Puis je me dis que l'Inglese y tenait sans doute, alors j'y renonçai. Le pauvre perroquet paraissait assoiffé, mais comment faire ? Après avoir réorganisé nos achats de manière à pouvoir les transporter plus facilement, j'ai poursuivi mes recherches et j'ai fini par les trouver devant un cracheur de feu. Voir cet homme avaler de grandes torches enflammées ne fit qu'attiser ma soif.

À force de jouer des coudes, nous atteignîmes la tente du buffet où je tombai sur le vieux Patti, le père de la pauvre Angela. Le vieillard guère plus grand qu'une poupée s'attaquait à une coupe de crème glacée presque aussi grosse que lui.

Nous fîmes notre choix. Pour ma part, je pris une glace au café, bien entendu. Après cela, Rosario apparut. Dès qu'il ouvrit la bouche pour attaquer la sienne, parfumée à la pistache si ma mémoire est bonne, je constatai que ses dents avaient poussé. Des dents !

« Dieu du ciel ! m'exclamai-je malgré moi, stupéfiée par cette vision. Au nom de la Madone, qu'est-ce que tu as dans la bouche ? »

Les petites Rosa éclatèrent de rire – un rire si contagieux que j'en aurais bien mis un peu de côté dans une fiole – et commencèrent à se tortiller, si bien que Biancamaria Ossobucco dut les conduire illico presto dans la tente des toilettes. En s'éloignant, elle me lança par-dessus son épaule :

« Il les a achetées à Bullo. Toutes les vedettes de cinéma se servent chez lui, paraît-il. Tu ne les trouves pas jolies, Rosa ? »

Jolies n'était pas le terme approprié. Avec ce râtelier, Rosario me rappelait le requin que j'avais vu barboter dans une citerne, à la *festa* de Santa Albina. Après le départ des filles, il y eut un moment de silence embarrassé. Je dégustais ma glace quand je vis Rosario cracher ses dents et les glisser dans sa poche.

« C'était juste pour voir », l'entendis-je marmonner.

Au même instant, Samuele Contaggi se précipita vers moi et me jeta son porcelet dans les bras.

« Je te cherche partout. Ton bonhomme, l'étranger, c'est un sacré joueur de poker, même que Vincenze Scalabrino est en train d'y laisser sa chemise mais il abandonne pas, ajouta-t-il avant de repartir au galop vers la tente des joueurs de cartes. Le vieil Innocente Capone, il a perdu toute la thune que son prix lui a rapportée. Il pleure pour de vrai, pas à cause de ses oignons… »

Attentive à ses paroles, je ne vis pas le porcelet Nerissa, que je retenais d'une main, gober la *granita* que j'avais dans l'autre. Le poker. Je n'y comprenais rien à rien mais je n'appréciais guère que Vincenzo, mari de ma nièce Penelope et père de trois bambins, dilapide ainsi l'argent gagné à la sueur de son front. Ni que l'Inglese le lui prenne. À cet instant, les triplettes revinrent des toilettes au petit trot, suivies de Biancamaria Ossobucco. Ravies de découvrir le porcelet, elles entreprirent de se chamailler pour savoir laquelle des trois serait la première à lui faire goûter sa *granita,* friandise qui décidément semblait lui plaire. Puis elles se rappelèrent l'existence du perroquet dont la cage fut rapidement tapissée de glace fondue. Nous retrouvâmes le pauvre oiseau, les plumes collées, en train de patauger dans une flaque de crème rose où baignaient des graines, des fruits écrasés et des fientes.

Une piste de danse avait été dressée sur l'herbe sèche, devant l'orchestre de Privato, mon neveu violoniste. Guido Maccarone (le frère de Santina, la femme obèse, qui n'était pas gros, comme on aurait pu s'y attendre, mais long et mince) jouait de l'accordéon et chantait des airs romantiques d'une belle voix de baryton. Le troisième membre du groupe, Sesto Vinci, tenait la trompette.

La jeunesse locale guinchait. Parmi eux, on voyait se pavaner le Padre Buonaventura avec son sourire de star.

« L'a pas l'air d'un curé, cui-là », déclara Rosario.

Mais personne ne fait jamais attention à ce qu'il raconte. Nous sommes restés là, à surveiller les petites Rosa qui se trémoussaient sur la piste. Mauro valsait avec Donna Rea Reparata Gusto. Santina Maccarone, bonne danseuse comme la plupart des gens obèses, virevoltait entre les bras de l'oiseleur. Malgré la foule, il m'a semblé que Noe Randone, le mari de ma nièce Brunetta, dansait avec Consuelo Ingrassia, la dernière épouse de Salvatore. Ludo Capone, le mari de Brunella, sœur jumelle de Brunetta, avait pris pour cavalière Raffaela Capone, la femme de mon neveu Gentile. Paolo Scafidi, marié à Petronilla, sautillait en rythme avec la femme de Giuliano, Galatea Mocambo. Tout ce petit monde se mélangeait à qui mieux mieux. J'espérais seulement que nous échapperions à la traditionnelle bagarre d'après bal.

De là, nous partîmes admirer le funambule, les marionnettes, les jongleurs et ces gens qui se tiennent raides comme des statues sur des estrades puis vous font sursauter en bougeant au moment où vous vous y attendez le moins. À bout de forces et de nerfs, les triplettes commencèrent à se chamailler, à se mordre, à se tirer les cheveux. Pour elles, le moment était venu d'aller dormir. Rosario voulut raccompagner Biancamaria Ossobucco et les petites, au prétexte que des bandits traînaient dans les parages. Il chargea donc mes divers achats sur le dos de Carciofo et tout ce petit monde s'en fut, me laissant seule avec le perroquet et le porcelet.

Chapitre vingt-trois

Les attractions commençaient à s'essouffler. Pour nous aussi, il était temps de regagner nos pénates mais je n'avais pas très envie de pénétrer sous la tente des joueurs. Ce n'est pas un endroit convenable pour une femme. En outre, je ne voulais pas embarrasser l'Inglese par une intrusion intempestive. Les autres penseraient qu'il m'obéissait au doigt et à l'œil. Je traînassai encore un peu puis je me décidai à franchir le pas.

À l'intérieur, il faisait chaud comme dans un four. Il y avait foule. Un brouillard tabagique à couper au couteau flottait dans l'espace confiné. Je traversai la marée humaine jusqu'à la grande table où ne restaient que deux joueurs : l'Inglese assis devant un tas énorme de pièces et de billets et, face à lui, Don Umberto Sogno, père et assassin de mon premier amour, Bartolomeo.

Cette vision me fit l'effet d'un soufflet ; je n'avais pas revu Don Umberto de près depuis la nuit du meurtre, quand il m'avait jetée à la porte de chez lui, vingt-neuf ans auparavant. Pour lui aussi, le temps avait passé. Ses cheveux de jais avaient pris la couleur de l'acier. Mais sur son visage, je retrouvai cette même expression hautaine et conquérante, comme si la région lui appartenait, avec ses habitants, leurs possessions et tout le reste. Cette scène semblait sortie tout droit de mes cauchemars familiers : mon amant actuel et l'assassin de mon premier amant, engagés dans un combat singulier.

Le silence et la tension étaient presque palpables. Soudain Don Umberto repoussa sa chaise, se leva en foudroyant l'Inglese du regard qu'il m'avait adressé autrefois, un regard chargé d'une haine implacable, et d'un geste ostentatoire, jeta ses cartes sur la table.

La foule s'écarta pour les laisser passer, lui et son homme de main. Dès qu'ils eurent quitté la tente, le vacarme reprit comme si quelqu'un tout à coup avait remis le son.

Entre les caquetages, les harangues et les quintes de toux, je vis l'Inglese rassembler les billets en liasses et les enfoncer non sans peine dans les poches de son pantalon trop serré. Les pièces, il les déversa par poignées dans le sac de l'apothicaire et, comme cela ne suffisait pas, mit le reste dans son chapeau qui déborda, malgré sa grande taille.

Je contournai la table pour le rejoindre. Quand il me vit, ses yeux étincelèrent et sa bouche s'ourla d'un sourire éclatant auquel je ne répondis pas tant j'étais préoccupée. Je me sentais happée dans le tourbillon du passé, ce qui ne m'empêcha pas de noter un détail inhabituel : l'Inglese était pâle, nerveux, couvert de sueur.

Nous sortîmes de la tente avec le porcelet, le perroquet et le chapeau plein de sous. Sur notre passage, des voix murmuraient que Don Umberto n'accepterait pas sa défaite car il avait perdu la face.

« Allons boire un verre », dit l'Inglese en m'entraînant vers la buvette de Taddeo Brutto, un espace peuplé de chaises pliantes et de tables sur tréteaux où les clients, mâles exclusivement, buvaient, perdaient leur temps et se défiaient au bras de fer.

L'Inglese fit tinter son verre contre le mien puis avala son vin d'un trait.

« Nous formons une équipe qui gagne, signorina, dit-il en me prenant Nerissa des mains pour chatouiller son petit ventre rose. Dame Fortune nous a souri à tous les deux. »

Je n'en étais pas si sûre.

« Tu sais qui c'était ? demandai-je d'une voix posée.

— Non.

— Je t'ai dit pourquoi j'avais dû me réfugier à Palerme, autrefois. Tu t'en souviens ?

— Bien sûr que je m'en souviens. Comment pourrais-je oublier une chose pareille ? Ton premier amant a été assassiné.

— Par lui. L'homme avec qui tu jouais aux cartes. Cet homme c'est, c'était, son père. »

L'Inglese devint livide. Il chercha ma main et la serra fort.

« Ma pauvre chérie », dit-il en plongeant son regard dans le mien. Il compatissait. « Quel choc tu as dû ressentir en me voyant assis en face de lui, comme ça. Le salaud ! Si j'avais su, je lui aurais cassé la gueule, en plus de le soulager de son fric.

— Il ne va pas apprécier sa défaite. Ce n'est pas une question d'argent. Il a perdu la face. Tout le monde a assisté à…

— Eh bien, s'il n'aime pas perdre, il devrait s'abstenir de jouer, m'interrompit-il.

— Tu ne saisis pas comment les choses fonctionnent ici, repris-je. Il y a des gens dont il vaut mieux ne pas se faire des ennemis. Il n'en ressort rien de bon, crois-moi.

— Je ne reconnais plus ma Rosa. Elle qui n'a jamais peur de personne.

— C'est vrai, dis-je. Je ne crains rien pour moi-même. Mais pour toi si. Je sais ce dont cet homme est capable.

— Ce qui veut dire que tu m'aimes ?

— Bien sûr que je t'aime. Pourquoi cette question ?

— Elle m'aime, hurla-t-il à pleins poumons en levant les bras au ciel.

— Chuuuut », soufflai-je gênée de voir qu'on nous dévisageait. Il se comportait comme un ivrogne quoiqu'à mon avis, il n'ait pas bu grand-chose.

Il était temps d'y aller. Nous allions quitter la buvette quand nous passâmes devant Mauro et sa bande de copains, engagés dans une partie de bras de fer.

« Viens donc, monsieur l'Étranger, lança Mauro à l'Inglese. Viens tenter ta chance contre moi.

— Non merci, monsieur le Balèze, répondit-il. Je n'ai pas envie de me faire casser le bras.

— Mieux vaut un bras cassé qu'une nuque brisée.

— J'espère éviter l'un et l'autre.

— Je ne parierais pas si j'étais toi. »

J'entraînai l'Inglese dehors. Il n'aurait plus manqué que la soirée s'achève sur une bagarre.

Comme les pièces tombaient du chapeau, nous laissions une trace dorée dans notre sillage. On se serait cru dans un conte de fées.

« Tout cet argent, dis-je. Ce n'est pas bien.

— Qu'est-ce qui n'est pas bien ?

— Samuele Contaggi a dit que Vincenzo Scalabrino (c'est le mari de Penelope, la Penelope de Giuseppe, pas Penelope Muscatello), il a dit que Vincenzo a perdu tout son argent et que c'est toi qui l'a empoché. Mais cet argent il en a besoin.

— Dans ce cas, signorina, pourquoi touche-t-il aux cartes, lui aussi ? Pour ne pas perdre il suffit de ne pas jouer, c'est très simple.

— Tu ne pourrais pas le lui rendre ? Tu en as tellement.

— Les choses ne fonctionnent pas de la sorte. »

Sur le chemin de la maison, les étoiles s'allumèrent l'une après l'autre. Il faisait encore chaud, et pas un brin de vent. Les giroflées dégageaient une senteur suave et entêtante. En bord de route, les bosquets bruissaient de gloussements et autres petits cris. Parmi les voix des jeunes amants, j'en ai identifié de plus mûres et de moins célibataires. L'Inglese entonna des chansons d'amour en anglais ; malgré sa soif et sa fatigue, le perroquet se joignit à lui, avec quelques fausses notes par-ci par-là. Nerissa s'endormit dans mes bras en ronflant doucement. Je ne suis pas sentimentale avec les bêtes mais je la considérais déjà comme un animal de compagnie. Je savais que jamais je ne l'égorgerais pour la saler et en faire des jambons.

Après une pareille journée, je me sentais si lasse que je me serais volontiers couchée tout de suite. L'Inglese proposa de préparer le repas pendant que je prenais un bain. Allongée dans la mousse odorante, je repassai dans ma tête tous les événements des heures précédentes. Puis l'Inglese m'apporta un verre de vin et me couva de ce regard qui n'appartient qu'à lui. Une seconde après, il sautait tout habillé dans la baignoire qui déborda. Lorsqu'il s'allongea sur moi, nous partîmes d'un tel fou rire que nous avons bien failli nous noyer. Il y avait de l'eau partout sur le carrelage. En séchant, certains carreaux se sont décollés ; on n'a jamais réussi à les replacer correctement. Aujourd'hui, des années plus tard, quand je me détends dans cette baignoire, il m'arrive de repenser à cette soirée de folie. Et j'en souris encore.

PIZZA

(Pizza)

Chapitre vingt-quatre

La vengeance de Don Umberto ne se fit pas attendre. Tard dans la nuit, je venais à peine de fermer l'œil, car bien sûr nous avions fait l'amour à plusieurs reprises, qu'une lumière aussi vive que le soleil me réveilla en sursaut. Le jour n'étant pas levé, je pensai à une torche électrique. Presque aveuglée, je pus quand même discerner les silhouettes de trois hommes debout autour du lit. Mon cœur bondit dans ma poitrine. Je n'arrivais plus à respirer. Que faire ? L'Inglese semblait encore endormi.

« Que voulez-vous ? » murmurai-je.

Ils étaient armés.

« L'étranger, dit l'un.

— Allez, debout ! fit un autre.

— Allez, mon mignon, il est l'heure de se lever », persifla le troisième.

Je tâchais de réfléchir. Quel objet pouvais-je attraper pour me défendre ? En cette époque d'insécurité, je savais que nombre de mes concitoyens cachaient des haches, des épées, des gourdins sous leur oreiller, au cas où des bandits viendraient les attaquer durant la nuit. Ne voulant pas vivre dans la peur, j'avais toujours refusé d'en arriver là mais de toute évidence, j'avais eu tort. Si j'avais disposé ne serait-ce que d'une simple hachette, j'aurais donné du fil à retordre à ces assassins.

Mais hélas, je n'avais à portée de main qu'un petit vase de campanules et un pot de crème pour les mains (parfumée au gardénia). Je me voyais mal partir à l'assaut armée de ces deux inoffensives bricoles.

L'un des tueurs se pencha vers nous et arracha la couverture, exposant nos corps nus à la vue de tous. De rage, je la récupérai et m'en drapai pour préserver ma pudeur. L'Inglese remua dans son sommeil.

« Rosa, s'il te plaît, laisse-moi dormir un peu, marmonna-t-il. On remettra ça demain matin.

— Allons, lève-toi », ordonna l'homme. Son arme produisit un déclic qui finit par réveiller l'Inglese.

« Ils ont des pistolets », lui soufflai-je à l'oreille. Puis, me tournant vers les intrus, j'ajoutai : « Au moins, laissez-nous enfiler quelque chose avant de nous tirer dessus. »

Sous le regard de nos futurs assassins, nous partîmes à la recherche de nos vêtements. Je faisais souvent ce genre de rêve : j'étais nue et tout le monde me regardait. Je suppose que je dois cela au signor Rivoli, le voyeur, qui vivait en face de mon petit appartement à Palerme et ne manquait pas de m'espionner chaque fois que je me déshabillais. En ramassant le chemisier que j'avais porté dans la journée, je remarquai que l'Inglese l'avait déchiré tout à l'heure, dans sa hâte.

« Il va falloir que j'aille en chercher un autre dans le placard, dis-je aux trois hommes.

— Très bien mais pas d'entourloupes », rétorqua le plus grand, le chef semblait-il. Du bout de son arme, il désigna la penderie. J'y allai à reculons, en me protégeant du mieux possible avec mes mains et mes bras. Peine perdue. Mon corps plantureux réduisait à néant tous mes efforts de décence.

Une centaine de kilomètres plus tard, j'atteignis et ouvris la porte de la penderie. En déplaçant un cintre, je faillis m'évanouir de surprise. Mauro se tenait là, caché parmi les vêtements. D'un geste impérieux, il m'intima le silence. J'étouffai donc mon cri sous un toussotement. Au même instant, je vis que Mauro portait l'une de mes robes, la bleue à pois ; celle que je cherchais, justement. En plus, il s'était barbouillé les lèvres avec du rose nacré.

« Amène-toi, sœurette, c'est pas un défilé de mode », dit l'un des assassins, perdant patience. Un genre de verrue lui pendait au bout du nez.

Je replongeai dans la penderie pour choisir une autre tenue. Chose bizarre, je tombai sur une robe que je n'avais jamais vue. Je crois même qu'elle ne m'appartenait pas mais il faut faire avec, étant donné les circonstances. En l'enfilant, je remarquai tout de suite qu'elle était un peu serrée et, quand je voulus la fermer, j'entendis dans mon dos le bruit familier du tissu qui se déchire.

Depuis sa cachette, Mauro me tendit un gros couteau de cuisine. Lui-même avait empoigné une arme à feu. Il me fit un signe de tête et, ensemble, nous partîmes à l'attaque. Avec un cri terrifiant où se mêlaient la panique, la terreur et la rage, je chargeai en brandissant le coutelas. Plusieurs détonations retentirent. Mauro tirait. Les méchants tiraient. Assourdie par mes propres hurlements, prise d'une telle frénésie que je perdais toute notion de temps et d'espace, je me jetai sur le grand type dans l'intention de le poignarder. Soudain, l'Inglese se dressa devant moi et, comme dans un film défilant au ralenti, je vis la lame s'enfoncer dans son corps. Elle pénétra jusqu'au manche, entraînée par mon élan et mon poids. Pétrifiée d'horreur, je la retirai aussitôt, ce qui fit jaillir un flot de sang de la profonde entaille qui béait dans sa poitrine. Un flot si abondant qu'il se déversa sur moi comme une cascade, laissant sur le tissu de ma robe de larges traînées non pas rouges mais blanches.

L'Inglese s'écroula. Son corps nu était si pâle au milieu de tout ce sang vermeil. Nerissa le porcelet traversa la flaque ; ses petits sabots laissèrent une guirlande d'empreintes minuscules sur le dallage. De nouveau, je poussai un grand cri. Le troisième assassin, celui qui avait des dents de cheval, prit la parole.

« Nous sommes venus pour le tuer mais tu nous as facilité le travail, sœurette », ricana-t-il.

Il avait raison. L'Inglese était mort. Mon bien aimé, mon grand amour était mort.

Je rugis comme une mère voyant son bébé couché sur les rails et l'express arriver à toute vapeur :

« NON. »

J'ignore d'où il sortait, mais à cet instant précis, Don Umberto, l'homme qui avait tué mes deux amants, entra dans la chambre. Je lui sautai à la gorge et je tins bon, bien décidée à l'étrangler jusqu'à ce que mort s'ensuive.

Il avait beau se débattre, je ne lâchais pas. Plutôt mourir. C'est à ce moment-là que j'ai compris mon erreur. Je ne me battais pas avec Don Umberto mais avec l'Inglese. Il n'était pas mort. Il était vivant. Je lui serrais la gorge de toutes mes forces. Craignant de finir asphyxié, il faisait des efforts désespérés pour se dégager, en hurlant malgré le manque d'air :

« Rosa, arrête. Réveille-toi. Tu es en train de me tuer.

— Tu es vivant. Tu n'es pas mort. Tu es vivant », sanglotai-je.

Nous étions au lit. C'était un rêve. Juste un rêve. Quand je retirai mes mains, il poussa quelques gémissements rauques puis il dit d'une voix cassée :

« Grands dieux, Rosa, t'as bien failli m'avoir. »

Son visage était bleu, son cou noir.

« Je suis désolée, hoquetai-je. J'ai fait un rêve affreux. J'ai rêvé que Don Umberto avait envoyé des assassins pour t'éliminer. C'était atroce. »

Mon cœur battait deux fois plus vite que la normale ; j'étais couverte de sueur de la tête aux pieds. Je mis un moment à me calmer. Pendant ce temps, le cou de l'Inglese gonfla comme un crapaud. Je me sentais terriblement coupable. Et si je l'avais tué ?

Plus tard, nous avons ri.

« Je préférerais avoir affaire à de vrais assassins, dit-il en plaisantant. J'ai toujours pensé que tu étais une femme dangereuse. Je réfléchirai à deux fois avant de me mettre au lit avec toi, désormais.

— Tu as raison d'avoir peur, répliquai-je. Maintenant, couche-toi et fais exactement ce que je te vais te dire ».

Sur ces bonnes paroles, je sautais sur lui à califourchon.

Chapitre vingt-cinq

Le lendemain matin, l'Inglese inaugura un nouveau comportement. D'abord, il entreprit une fouille systématique du lit, en portant une attention particulière aux oreillers, aux draps et même au sol de la chambre, qu'il inspecta à quatre pattes.

« Tu as perdu quelque chose ? » demandai-je, intriguée. Le regard qu'il me lança me dissuada de l'interroger davantage. Je descendis dans la *cucina* préparer le petit déjeuner.

Ensuite, il passa des heures dans la salle de bains. Quand il en émergea, il avait le visage rose vif et dégageait une odeur de médicament assez forte pour recouvrir son parfum naturel, que j'adorais. À ma grande honte, son cou était encore noir quoique moins gonflé.

Dès ce moment-là, il commença à prendre des pilules et des potions, à intervalles réguliers et rapprochés. Il se baladait partout avec un miroir de poche. Souvent, quand il se croyait seul, je le surprenais à examiner longuement son crâne.

« Tu as bien conscience que le vieux Merlo n'est pas plus apothicaire que moi, n'est-ce pas ? » hasardais-je. Mes avertissements tombaient dans l'oreille d'un sourd.

Ce matin-là, l'Inglese se mit en tête de donner un cours d'anglais au perroquet. Il s'assit sur les marches de la *cucina*, l'oiseau perché sur sa main. Déjà habituée à sa nouvelle maison et à son statut d'animal de compagnie, Nerissa la jeune truie me suivait partout comme un chien.

Ayant une envie folle de fabriquer des entremets avec mon sirop de jasmin, j'allai ramasser des pastèques. Elles étaient si grosses que je dus les transporter dans ma brouette. J'arrivais à peine à en tenir une dans mes bras.

Il s'avéra que le perroquet s'appelait Betty. Étudiant doué autant que travailleur, il savait déjà dire « Hello Betty », « cheese », « volcano » et « too hot ».

Il avait raison, il faisait trop chaud. Quand j'eus hissé mes pastèques en haut des marches de la *cucina*, mes cheveux étaient plaqués sur mon crâne, ma robe collait. Avec un plaisir extrême, je m'assis devant un verre de limonade bien fraîche. Un cri résonna au loin. Encore une catastrophe, me dis-je.

La première question qui me vint à l'esprit fut : « Qui est mort, cette fois-ci ? »

J'appréhendais la réponse. Passant comme une flèche à côté de l'Inglese et du perroquet, je dévalai les marches. Au même instant, Leonardo, Mario, Giuliano, Salvatore et Mauro faisaient irruption dans la cour.

« Qui est mort, cette fois-ci ? répétai-je en plissant les yeux sous le soleil.

— Ils sont partis, tonna Giuliano.

— Qui ça ?

— Les jumeaux. »

Puis :

« Amoretta a disparu, intervint l'un de mes frères.

— Les jumeaux ? m'écriai-je pour recentrer le sujet.

— Les corps ont été déterrés », répondirent-ils d'une même voix.

Je m'effondrai sur la marche du bas. « Non !

— Mais nous les retrouverons.

— Il faut faire vite.

— Le lit d'Amoretta n'était pas défait.

— Pervinca est allée prendre une hache.

— Elle va tuer quelqu'un, c'est sûr.

— Elle a dû suivre les gitans.

— Giuseppe s'est lancé à leur recherche. »

Mes frères montèrent, qui dans le camion qui sur le tracteur, et partirent à fond de train rejoindre leur aîné. Quant à moi, je tremblais pour Biancamaria Ossobucco. Comment prendrait-elle cette terrible nouvelle ?

De mauvaise grâce, l'Inglese remit Betty dans sa cage puis nous partîmes à pied vers le cimetière où je m'attendais à retrouver Biancamaria Ossobucco.

Depuis le jour de l'enterrement, mes frères, leurs nombreux fils, des amis de la famille et quelques ouvriers agricoles se succédaient chaque nuit pour monter la garde devant la tombe de Guerra et Pace. Mais la nuit dernière, tout le monde était à la *festa*, même les sentinelles. Les profanateurs avaient sauté sur l'occasion.

Quand nous arrivâmes, Biancamaria Ossobucco était effectivement agenouillée au fond du trou que les malfaiteurs avaient creusé pour s'emparer du cercueil. Elle faisait peine à voir. Au-dessus d'elle, les triplettes creusaient avec leurs petites mains les monticules de terre entourant la fosse, à la recherche de lombrics. Rosario était là, lui aussi. De même que les chèvres de Simple Fogna. Suivant leurs habitudes, elles broutaient les couronnes et les pots de fleurs qui ornaient les sépultures les plus récentes.

« C'est pour me punir, fit-elle d'une voix mourante quand elle me vit.

— C'est absurde, ma chérie, dis-je. Pourquoi dis-tu cela ? »

Elle se tourna vers Rosario : « J'ai trop honte pour te l'avouer.

— Écoute, je veux que tu te sortes ces absurdités de la tête. Tu as été une épouse exemplaire pour les garçons. Ils étaient très heureux avec toi. Mais il faut que tu saches qu'il existe des individus cupides et sans scrupules en ce bas monde, des individus qui ne reculent devant rien pour se faire de l'argent. Ce n'est pas de ta faute. Eh oui, c'est terrible ce qui est arrivé mais, de toute façon, les garçons, nos garçons bien aimés, n'étaient plus dans ce cercueil. Ils sont partis pour un monde meilleur où personne ne peut leur faire de mal. Maintenant, je veux que tu te lèves. Je t'en conjure au nom de tes petites filles. Tu n'as rien à faire ici. Rentre à la maison avec moi. »

Donc, encore une fois, je sortis Biancamaria Ossobucco de la tombe des jumeaux puis je déposai les petites Rosa sur le dos de Carciofo et je les ramenai toutes chez elles.

« Tu as mangé ? » demandai-je.

Il suffisait de la regarder pour comprendre que Biancamaria Ossobucco n'avait rien avalé de solide depuis des jours. Je passai dans la cuisine et me retroussai les manches.

Après avoir lavé les mains des petites Rosa, je les mis au travail. Pendant que l'une allait cueillir du basilic dans le jardin, une autre répandait du sel sur les aubergines et la troisième écrasait la ricotta. Et ainsi de suite. De son côté, l'Inglese se contorsionnait devant le grand miroir pour tenter d'apercevoir l'arrière de son crâne.

« Qu'est-ce qu'il fait ici, ce drôle de bonhomme ? demanda Rosita avec la franchise des enfants.

— On lui donne du travail, à lui aussi ? » leur demandai-je.

Elles acquiescèrent.

« Tu m'as l'air d'avoir toute l'aide nécessaire, dit-il. Comme je suis de trop, je vais aller aux *Due Ladroni* voir ce qui se passe. Si tu n'y vois pas d'inconvénient…

— Pas de problème. Je suis désolée… »

J'entendais par là que j'étais désolée pour tout ce qui arrivait en ce moment. Le désespoir de Biancamaria Ossobucco. L'enlèvement du cadavre de mes frères assassinés. Tous ces obstacles qui s'amassaient entre nous, alors que nous souhaitions juste une chose : être seuls ensemble, nous aimer avec insouciance, comme autrefois, durant ces quelques jours avant son départ. Avant son prochain départ.

« Non, non, ça va, dit-il. Je ne serai pas long. »

Et il partit. Plus tard, je posai devant Biancamaria Ossobucco une assiette de spaghettis à la sauce tomate et aubergine. Ayant perdu l'appétit, elle avala quelques bouchées pour me faire plaisir. Rosario s'affairait autour d'elle, aux petits soins. J'ignore comment elle fait pour supporter cela. J'en toucherais un mot à Rosario, à l'occasion. Les petites Rosa avaient les joues rouges de sauce et des tâches constellaient leurs vêtements. J'étais tellement occupée que j'oubliai l'absence de l'Inglese. À trois heures passées, je couchai les triplettes puis je fis la vaisselle et lavai la cuisine.

En partant, je tombai sur un prêtre qui me salua en soulevant son calot. Après s'être présenté comme le Padre Goffredo, nouveau curé de la ville, il me demanda de lui indiquer la via Sant'Angelo. Je ne réagis pas aussitôt mais en le voyant s'éloigner avec sa petite valise et son étui à violon, je songeai que nous avions déjà un curé, le Padre Buonaventura. C'était bizarre.

J'allai chercher l'Inglese aux *Due Ladroni* mais le café était fermé et il n'y avait personne dans les parages. Mes jambes me menèrent jusqu'au *campo*, désert lui aussi. Manlio Estivo lui-même avait disparu, alors qu'il passe sa vie perché sur le mur à l'ombre du palmier, près de la fontaine publique. Je commençai à gravir les ruelles en pente menant à la citadelle. Le soleil brûlait. Une odeur âcre se dégageait de ma peau moite. Partout, des chats errants, couchés, immobiles, comme morts. Je tendis l'oreille, dans l'espoir d'entendre autre chose que les battements de mon cœur dans ma tête. Un bruit perça le silence. Un bruit de pas, derrière moi. Pas question de me retourner. Je me crispai comme si une lame était sur le point de se ficher dans la chair de ma nuque. C'est donc à cela que ressemble la seconde précédant la mort ?

En fait de poignard, ce fut la voix d'une femme qui me frappa dans le dos. Elle prononça mon nom. Je fis volte-face. La femme était vêtue de noir. Sophia Baci.

Sophia Baci est la fille que Bartolomeo aurait épousée s'il avait obéi à son père. Son refus avait provoqué une dispute puis le meurtre du fils par son propre géniteur. Sophia aurait pu m'en vouloir or, au contraire, elle s'était toujours montrée aimable envers moi. N'ayant pas connu d'autre amour, elle était restée fidèle à la mémoire de Bartolomeo pendant toutes ces années.

Je vacillai. Sophia me rattrapa et m'aida à me remettre d'aplomb.

« Tu vas bien, Rosa ? »

Mes poumons se remirent à fonctionner. Ensemble, nous marchâmes jusqu'au muret qui sépare la rue du ravin, pour nous y asseoir.

« C'était bizarre, dis-je en me moquant un peu de moi-même. J'ai eu un présage de mort.

— La mort de qui ? demanda-t-elle, inquiète.

— La mienne. »

Elle frémit. Bien que nous ayons le même âge, elle avait une silhouette de jeune fille. Il faut dire qu'elle est restée mince, elle. En revanche, son visage était las, ridé, sans expression. Ce manque de vitalité lui venait sans doute de son deuil interminable. Elle n'avait jamais vraiment vécu. À présent, nous portions du noir toutes les deux.

« Je suis si triste pour tes frères », dit-elle.

Je la remerciai d'un sourire affligé.

Elle baissa la voix comme si elle craignait qu'on l'entende, alors qu'il n'y avait personne hormis elle, moi et les chats. Les mots se précipitèrent hors de sa bouche.

« Rosa, c'est toi que je suis venue voir. J'ai entendu des rumeurs. Je pense que ton *straniero* est en danger. Je crois qu'il devrait partir.

— Mais il vient juste d'arriver, rétorquai-je.

— Tu sais comment sont les choses. Imagine qu'il lui arrive malheur. Comment supporterais-tu que… ça recommence ? »

Je savais ce qu'elle voulait dire. En effet, je n'aurais pu le supporter.

« Je ferais mieux de rentrer », dis-je en me levant. Je ressentais un besoin urgent de regagner la *fattoria*. J'estime qu'il est important de suivre ce genre d'instinct. « Merci de m'avoir parlé. C'était généreux de ta part. »

Nous descendîmes la colline sans mot dire. Puis quand nos chemins se séparèrent, elle se tourna vers moi.

« Fais attention à toi, Rosa, insista-t-elle en me serrant dans ses bras.

— Je ferai attention », promis-je.

Sur la route de la maison, je tentai de réfléchir. Que faire pour éviter le pire ? J'aurais préféré que l'Inglese n'ait jamais rencontré Don Umberto. De toutes les personnes qu'il aurait pu battre au poker, pourquoi avait-il fallu qu'il tombe sur ce *mafioso* sanguinaire ? Mais ce qui est fait est fait. On ne change pas le passé, contrairement à l'avenir. Pourquoi les gens ne nous laissaient-ils pas tranquilles ? Je ne voulais pas passer ma vie à trembler. Je ne voulais pas le renvoyer. Je ne voulais pas non plus qu'on l'assassine. J'avais beau refuser de m'inquiéter pour lui, c'était plus fort que moi. Je n'étais pas inquiète, j'étais morte d'inquiétude. Bien sûr, il n'était pas question de le surveiller vingt-quatre heures sur vingt-quatre. Ce n'était pas réaliste. Je ne pouvais pas le garder en cage comme Betty.

J'atteignis la maison sans même m'en apercevoir, comme si mes idées noires m'avaient donné des ailes. Accablée de chaleur, couverte de poussière, dès que j'entrai dans la cour de la *fattoria*, je sentis que quelque chose ne tournait pas rond.

« *Amore* ? » appelai-je en gravissant les marches de la *cucina*. Où était-il ? Décidément, quelque chose clochait. Le silence de cette vieille maison était éloquent. Mon cœur se mit à battre la chamade. Qu'allais-je découvrir ? J'étais dans le même état que le jour où j'avais trouvé le cadavre de Crocifisso dans la vitrine, à la bibliothèque. Allais-je tomber sur la victime d'un autre meurtre ? Allais-je trouver l'Inglese assassiné, gisant dans son sang ? J'aurais voulu fermer les yeux pour ne pas voir ce qui m'attendait là.

C'est alors que je l'aperçus. Sur la table. Nerissa. Raide morte. Une balle dans la tête et une carte à jouer, l'as de cœur, piquée dans son flanc avec l'un de mes coutelas. Je poussai un grand cri. Mes nerfs lâchaient. C'était horrible. Pauvre petite bête. Égorger un animal de boucherie ne m'a jamais fait peur, mais là c'était autre chose. Le fait de penser qu'ils étaient entrés dans ma cuisine pour commettre une telle ignominie me donnait la nausée. Puis j'entendis quelqu'un monter les marches.

« *Amore ?* » appelai-je encore. Mais ce n'était pas mon amour. C'était Mauro. Quelle déception.

« Regarde », dis-je en désignant Nerissa d'un doigt tremblant.

Il grimaça de dégoût.

« Les ordures », marmonna-t-il.

Il tenta de me serrer contre lui mais je le repoussai sans ménagement. Il y eut un moment de malaise.

« Tu l'as vu ? demandai-je.

— Non, répondit-il d'un ton las. Il fait partie des rares personnes dont je ne me suis pas occupé aujourd'hui. Je suis allé jusqu'à Antillo pour chercher les jumeaux mais en fin de compte, c'était une fausse piste. Là, je reviens de Linguaglossa où j'étais parti sur les traces d'Amoretta. Elle s'est enfuie avec le curé, sauf que le curé n'en est pas un mais un escroc qui se fait passer pour un curé.

— Un escroc ? m'écriai-je en m'efforçant d'engranger cette mauvaise nouvelle supplémentaire. Je comprends mieux maintenant. Il y a un nouveau prêtre en ville. Je l'ai vu.

— Je sais. Pervinca l'a attaqué à coups de hache.

— Non !

— Si. Il ne jouera plus jamais du violon.

— Elle lui a coupé les mains ?

— Non. Il s'en est servi pour se défendre. Maintenant, le violon est bon à jeter au feu. »

Mauro ramassa le petit corps rigide de Nerissa et sortit l'enterrer.

C'est alors que j'entendis la voix de l'Inglese.

« Very hot, very very very hot.

— *Amore ?* »

Ne le voyant pas, je réalisai que ce commentaire sur le temps venait du perroquet, Betty. L'oiseau imitait diablement bien la voix de mon amant. Heureusement, les assassins de Nerissa l'avaient épargné.

Je débarrassai tout ce qui encombrait la table, remplis d'eau le nouveau seau et, avec du savon et une brosse à chiendent, je me mis à frotter le bois. Cette activité manuelle avait le don de m'apaiser. En avant, en arrière. Je dus répéter ce geste des milliers de fois. J'étais couverte de sueur et d'eau savonneuse. À la fin, la table n'avait jamais été plus claire. Mais l'Inglese n'était toujours pas rentré. Oh mon Dieu, faites qu'il revienne.

Tout à coup, je fus prise d'une envie de gâteau au fromage. La recette était juste assez compliquée pour me faire oublier la tempête qui rugissait dans ma tête ; quand il serait cuit, je le mangerais et mes dernières angoisses disparaîtraient.

D'abord, je fis rôtir des amandes dans le four. La *cucina* s'emplit d'un agréable parfum d'amande caramélisée. Dès qu'elles eurent un peu refroidi, je les broyai dans un mortier, une poignée après l'autre, en maniant le pilon à ma manière, c'est-à-dire avec une torsion du poignet, de l'avant-bras, du bras, de l'épaule et du dos. Tout mon corps participait, concentré dans ce geste salutaire. Ma main lasse me brûlait mais je n'en avais cure. Bientôt la poudre d'amande forma un monticule sur la table immaculée.

Ensuite, je battis ensemble le beurre et le sucre. La cuiller en bois, ma main et mon bras tournoyaient si vite qu'ils se confondaient dans le même brouillard. Ayant obtenu un mélange léger et mousseux, j'incorporai les jaunes d'œufs sans cesser de fouetter la pâte jusqu'à ce qu'elle soit bien jaune, brillante et onctueuse.

Aux amandes en poudre, j'ajoutai une poignée de farine, une pincée de levure, une autre de sel et des zestes de citron finement hachés. Les citrons étaient si frais que leur parfum semblait jaillir comme une source acide. À chaque nouvel ingrédient sec, la pâte s'épaississait, pâlissait. Pour cesser de malaxer, j'attendis que ma cuiller laisse une trace en forme de ruban à la surface de la pâte.

Ensuite, je pris ma belle ricotta, je l'arrosai de jus de citron pour la rendre légère et fluide et je l'incorporai à la pâte.

Enfin, vint le moment de battre les blancs. C'est une occupation idéale en cas de déprime. Je passai environ une demi-heure à ne faire que cela. Battre, battre et battre encore. Et tout en battant, je priais. Je priais pour que l'Inglese monte les marches, un grand sourire sur le visage. Je priais pour que Don Umberto subisse le sort qu'il méritait. Oui, ces blancs d'œuf étaient son corps et je les fouettais à tour de bras. Je devrais peut-être le tuer de mes propres mains ? Libérer la région de la chape de terreur qu'il faisait peser sur elle. Je vouais aux gémonies les tueurs à sa solde, les assassins de mon porcelet et les profanateurs de sépulture. En même temps, j'adressais tous mes vœux de bonheur à Amoretta et à son faux curé. Je sais ce que c'est qu'être jeune et amoureux. J'espérais qu'ils vivraient heureux. Et je pensais à la pauvre Pervinca, folle de colère. Quand le gâteau au fromage serait cuit, je lui en apporterais une bonne tranche. Il n'y a rien de tel pour se calmer les nerfs.

Après toutes ces réflexions, mon bras me faisait mal, ma main cuisait et sentait le métal chaud du fouet. Quant aux blancs d'œufs, ils formaient un nuage épais et mousseux qui resta collé au bol lorsque je le retournai. Très doucement, très adroitement, j'incorporai les blancs d'œufs à la pâte onctueuse en évitant que l'air s'échappe, puis j'en remplis un moule chemisé, raclai le reste de pâte au fond de la jatte et enfournai le gâteau.

Quelques instants plus tard, la *cucina* se remplit de ce merveilleux arôme qui se répand dans l'air sur des dizaines de mètres et incite les passants et les ouvriers agricoles à lever la tête, renifler et dire :

« Aaaaahhh, sauf erreur, Rosa prépare un gâteau au fromage.

— Parfumé au citron, à vue de nez. »

Dans la vallée, se déclencha tout à coup une épidémie de crampes d'estomac. Les enfants délaissaient leurs jeux pour réclamer un casse-croûte à leurs mères. Les chiens hurlaient. Et à l'asile, on découvrit par la suite que plusieurs fous avaient dévoré leurs oreillers.

Je léchai la cuiller tout en songeant à l'Inglese. J'espérais qu'il allait bien. Où pouvait-il être, en ce moment ? Devrais-je lui dire de s'en aller, comme le conseillait Sophia Baci ? Mais je ne voulais pas qu'il parte. Je voulais le garder. Seulement voilà, comment faire pour qu'il ne lui arrive rien de mal ?

Chapitre vingt-six

Le gâteau au fromage était cuit. Le pic que j'y enfonçai ressortit propre, sans trace de pâte. Je n'avais plus beaucoup de temps devant moi, alors j'attendis qu'il refroidisse un peu et je le coupai. Un nuage de vapeur odorante s'éleva. Je plaçai la moitié dans une assiette et descendis rapidement le sentier qui mène chez Giuseppe. Je ne voulais pas m'absenter longtemps, au cas où l'Inglese reviendrait. La maison de mon frère n'est qu'à dix minutes de marche ; en courant, je mis cinq minutes, et pourtant je ne suis pas bâtie pour la course et je faisais attention à ne pas lâcher le gâteau.

Dès l'entrée, l'ambiance me parut lugubre. Giuseppe était parti à Riposto, avec Renzo et Audace. Tôt dans la matinée, le voisin du cousin du frère de Manlio Estivo, le vieux Pipito, avait vu un prêtre et une jeune fille attendre un bateau en partance pour la Crète ; les trois hommes avaient foncé au port pour vérifier ce qu'il en était. Comme on avait également aperçu les amants à la pizzeria Gattopardo, sur la grand-place de Timpone, le vieux Rospo et ses nombreux fils étaient partis vers l'est, de l'autre côté du volcan. Les rumeurs allaient bon train. Les gens d'ici adorent les cancans. Pour vivre son heure de gloire, n'importe qui racontait n'importe quoi, sans se soucier le moins de monde de la vérité.

Dans la cuisine, la vieille Mamma Rospo était en train d'aiguiser un énorme hachoir à viande, d'un air redoutable. En fait, Pervinca n'était pas en état de manger le gâteau ; après qu'elle eut agressé le nouveau curé, le Dr Leobino lui avait administré un sédatif. Le prêtre avait eu le malheur de lui dire des choses qu'elle ne voulait pas entendre : il venait d'être nommé par l'évêque, il n'y avait jamais eu de prêtre remplaçant, il ignorait d'où sortait le Padre Buonaventura et, d'après lui, ce n'était qu'un imposteur.

Quand le Padre Goffredo ajouta que la seule chose qu'avait laissée le Padre Buonaventura en déguerpissant du presbytère, hormis de nombreuses crottes de rat, était une perruque brune abandonnée au fond d'un buffet, le vase déborda. Apparemment, Buonaventura n'avait pas seulement triché sur son identité. J'espérai que la supercherie s'arrêtait là et qu'au moins ses dents lui appartenaient. La moindre allusion à un dentier aurait sûrement eu raison de la santé mentale de la pauvre Pervinca.

Ça commençait vraiment mal pour le nouveau curé. En plus du choc émotionnel qu'il avait subi, il se voyait privé d'un violon qui avait été dans sa famille pendant deux siècles. Il devait se demander dans quel village de cinglés il était tombé.

Les enfants n'avaient rien mangé de toute la journée. Carita, Navale, Belcolore, Anna Monica et la petite Roberta (que Nevio et sa femme Vinca avaient laissée en partant pour l'Amérique à bord du *Marco Polo*) cessèrent de jouer aux gendarmes et aux curés et s'abattirent comme une nuée d'étourneaux sur le gâteau au fromage en poussant des cris de joie. La jeune Etna m'inquiétait. Affalée dans un coin comme une poupée de chiffons, elle ne semblait rien voir ni entendre de ce qui se passait autour d'elle. De sa bouche tombaient des mots, toujours les mêmes, que personne ne comprenait. Décidément, cette famille était vraiment accablée par le malheur. J'ordonnai à Doda Rospo de poser le couperet et de préparer le souper des enfants, mais elle se contenta de marmonner :

« Quand on lui mettra la main dessus, on le donnera en pâture aux cochons, je le jure. Et elle aussi, cette pute. »

Constatant qu'elle n'était bonne à rien, et malgré mon envie de regagner mes pénates, je me retroussai les manches et me mis à cuisiner, pour les enfants cette fois.

Je ne me faisais guère d'illusions sur les talents de ménagère de ma belle-sœur Pervinca. Un simple coup d'œil dans son cellier confirma mes pires craintes. Je compris aussi pourquoi mon frère Guiseppe continuait à prendre ses repas à la *fattoria*, au lieu de manger ici avec les siens.

Personnellement, je serais fière de vous montrer le contenu de mes buffets. En revanche, ici, on aurait cherché en vain de jolis bocaux étiquetés rappelant les abondantes récoltes des mois d'été. S'alignaient des boîtes de sauce tomate bon marché, achetées dans le commerce. Elles venaient de l'usine Pronto Pomodoro dont le propriétaire, le mafieux Probo Pronto, m'avait envoyé un message de menace à l'époque où je cuisinais moi-même des quantités industrielles de sauce tomate pour me consoler de la mort de Bartolomeo. Dans le cellier, je découvris des sacs de farine éventrés par les rats, de vieilles croûtes de fromage et des rognures de jambon fumé portant des marques de dents d'animaux plus gros : porc-épic, peut-être, ou ragondin. Qui sait même s'il ne s'agissait pas de l'affreuse bestiole ayant élu domicile dans la citerne. Je frémis à cette évocation. En plus de ces horreurs, il y avait dans ce garde-manger des choses méconnaissables tant étaient épaisses les moisissures chevelues qui les recouvraient. Une vraie pitié. C'était à se demander comment ces gosses avaient fait pour ne pas mourir d'inanition. En fin de matinée, j'irais chercher des provisions saines, j'en remplirais le cellier et, une fois les passions apaisées et Pervinca revenue à la raison, je lui enseignerais la manière de tenir une maison.

Je me faisais une gloire de savoir préparer un bon repas à partir de presque rien. Une demi-heure plus tard, je posai devant les enfants une montagne fumante de *lasagneddi* à la sauce tomate, surmontés de croûtons rôtis. J'avais beau me faire du souci pour l'Inglese, je regardai avec une joie sans mélange leurs petites joues gonflées de pâtes. Seule Etna refusa de participer aux agapes. Elle restait obstinément avachie par terre, sans répondre à mes questions. Mamma aurait expliqué cela en disant que le sang des Rospo, cette bande de sauvages, coulait dans ses veines. Moi, face à ce genre de comportement, j'étais totalement désarmée.

Chapitre vingt-sept

Après que les plus petits eurent été nourris, lavés et couchés, je repartis en courant, espérant trouver l'Inglese à la maison en train de m'attendre. Comme j'entrais dans la cour, je reniflai l'arôme inimitable du *Formaggio all'Argentiera*, délicieuse préparation à base de fromage fondu parfumé à l'ail et à l'origan. C'était ce plat que je cuisinais en pleine nuit, à l'époque où venant de rencontrer l'Inglese, son souvenir me tenait éveillée jusqu'à des heures indues. Ce parfum était si puissant qu'il avait réveillé tout le voisinage. Nonna Frolla était venue cogner à ma porte pour se plaindre et m'espionner par la même occasion. Se pouvait-il que l'Inglese soit en train de réaliser cette recette à mon intention ? Mes papilles s'éveillèrent. Déjà je sentais la suave onctuosité du fromage fondant sur ma langue. Un peu plus bas, une chaude moiteur m'envahissait. Malgré ma fatigue, j'escaladai les marches comme un cabri. Mais ce n'était pas l'Inglese. À ma grande déconvenue, je découvris encore une fois Mauro debout devant la cuisinière.

« Non, il n'est pas là, dit-il en déchiffrant mon expression. Viens manger un morceau. »

Où était-il passé depuis tout ce temps ?

Mauro me tendit une assiette surmontée d'une grosse tranche de pain chaud et, devant mes yeux ébahis, versa par-dessus le fromage fondu. Il avait aussi préparé un plat de chicorée braisée.

« C'est bon, déclarai-je en prenant une bouchée.

— Ça t'étonne ?

— Non, c'est juste que d'habitude c'est moi qui fais à manger, ici.

— Je sais. Je me suis dis que tu avais nourri tout le monde sauf toi. »

Il ne se trompait pas. Je n'avais rien avalé. Mais avant cet instant, j'ignorais que j'avais faim. À présent, j'étais affamée. En plus, il cuisinait bien. Très bien même. Pour une fois, les rôles s'inversaient ; je me faisais servir. Mais d'un autre côté, je me sentais un peu gênée. C'était ma cuisine, après tout. De quel droit avait-il pris ma place ?

Pour le dessert, nous partageâmes le reste du gâteau au fromage. J'ai toujours trouvé au fromage des vertus apaisantes, en période troublée. Nous en étions à la troisième tranche quand une voix retentit.

« Salut, ça m'a l'air bon ». Ce coup-ci, ce n'était pas le perroquet mais l'Inglese.

Je courus me jeter dans ses bras au risque de le renverser. Entre deux sanglots, je lui expliquai que Sophia Baci avait appris qu'il courait un danger, que je m'étais fait du souci car son absence avait duré longtemps. Et après cela, tout sortit dans le plus grand désordre : le meurtre de notre pauvre petit cochon, la fuite d'Amoretta avec le curé qui n'était pas un curé, pareil pour ses cheveux qui étaient aussi faux que lui, la colère de Pervinca et la destruction de l'antique violon du nouveau curé, les calmants qu'on avait administrés à ma belle-sœur et les porcs-épics nichant dans son garde-manger. Finalement, comme un automate arrivé en bout de course, je me figeai, hors d'haleine.

L'Inglese me serra très fort contre lui, m'embrassa et me murmura à l'oreille :

« Tout va bien. C'est bon ». Trois fois rien, en fait, mais mes nerfs éprouvés n'en demandaient pas plus.

Bien plus tard, je me souvins de la présence de Mauro. Je le cherchai des yeux mais il était parti. Encore plus tard, je m'aperçus du peu de désordre qu'il avait laissé dans la cuisine, contrairement à la plupart des hommes quand ils font à manger. Il avait lavé et rangé tous les ustensiles dont il s'était servi.

Au moment d'aller au lit, l'Inglese s'est enfermé dans la salle de bains pour procéder à ses rituels. En l'attendant, je me dis qu'il avait changé. Avant, il commençait par se jeter sur moi. Nous étions allongés côte à côte quand il me conseilla de ne pas m'inquiéter pour Don Umberto ; lui-même s'en fichait. Devant impérativement partir une semaine ou deux pour affaires, il estimait qu'à son retour tout serait oublié. Il m'en fit même la promesse.

Je voulais le croire. Je refusais de vivre dans la peur mais, d'un autre côté, je ne voulais pas m'accrocher à lui comme une femme aux abois. Il avait sa vie, et moi la mienne. Il était hors de question que je l'étouffe comme un lierre, que je l'empêche de respirer. Pendant qu'il couvrait mon corps de baisers, je finis par me calmer et oublier combien cette journée avait été pénible.

PASTA

(Pâtes)

Chapitre vingt-huit

Le lendemain matin, l'Inglese s'en alla. Pour le continent. Pour affaires. Il en avait pour une semaine. Je savais qu'il me manquerait mais curieusement, je me sentais aussi un peu soulagée. Comme il n'était plus là, je n'avais plus à craindre que Don Umberto l'assassine. Je pouvais me réjouir à l'idée de son prochain retour. Ne voulant pas ajouter à la longue liste de mes autres tracas l'inquiétude de le voir disparaître de ma vie encore une fois, je le croyais quand il disait qu'il reviendrait. Et pourtant je savais que la nuit, cette angoisse me taquinerait de son doigt crochu.

Une partie de moi désirait une vie normale dans laquelle nous ne passerions pas tout notre temps ensemble, où je vaquerais à mes affaires et lui aux siennes. En ce moment, mon potager était au cœur de mes préoccupations. Il était si prolifique que j'arrivais difficilement à récolter mes légumes et mes fruits avant que les guêpes ou le pourrissement les rendent impropres à la consommation. J'avais l'intention de préparer des tas de conserves et de confitures en prévision des mois d'hiver. En plus de tout cela, il fallait que je m'occupe de Biancamaria

Ossobucco et des triplettes, mais aussi de la famille de Giuseppe.

Les amants fugitifs demeuraient introuvables. J'espérais qu'il en serait toujours ainsi. Si jamais on les rattrapait, il leur arriverait malheur. Au mieux, on les arracherait l'un à l'autre ; au pire, on les tuerait et leurs cadavres iraient nourrir les cochons du vieux Rospo.

On continua de rechercher assidûment la dépouille des jumeaux pendant quelques semaines mais en vain. Naturellement, les témoignages ne manquaient pas : certains avaient vu un cercueil géant à l'arrière d'un camion, à Gela ; d'autres un squelette qui ne pouvait être que le leur, dans une foire à Enna ; leurs restes nageaient dans une citerne comme un monstre des abysses… et ainsi de suite. Chaque fois, des espoirs naissaient pour être aussitôt balayés.

Au bout d'un temps, on reboucha la tombe. Pour soulager sa conscience, Biancamaria Ossobucco commanda une statue grandeur nature de Guerra et Pace à un tailleur de pierre de Randazzo. Elle la fit installer de telle sorte qu'elle dominait le cimetière. D'aucuns en conçurent de la jalousie car non seulement notre monument dépassait en taille tous les autres, même celui des Botti, mais il était si célèbre que les touristes se faisaient photographier devant. Mais tout cela se produirait plus tard. Bien plus tard. Pour l'instant, il n'y avait pas l'ombre d'un touriste chez nous.

Il faudrait attendre encore de longues années pour connaître le sort des jumeaux. Leur squelette serait retrouvé en Angleterre, au Pitts Rivers Museum à Oxford, où il fait encore partie des collections permanentes, exposé entre des têtes réduites importées du Pérou et un crocodile momifié.

Mais comme d'habitude, je m'égare. Le jour où l'Inglese partit, j'étais tellement occupée que c'est à peine si je me languis de lui ; en fait, je n'y pensai presque pas. J'étais juste un peu honteuse de m'être donnée en spectacle la veille, moi si pondérée d'habitude. Je ne sais pas ce qui m'a pris.

En tout premier lieu, je devais garnir le cellier de Pervinca. Quand j'ouvris la porte de mon garde-manger, une fierté enfantine m'envahit à la vue de mes produits, cultivés et récoltés par mes soins, amoureusement conservés dans des bocaux ornés d'étiquettes bien lisibles et disposés par catégorie, en ordre alphabétique. Vingt-cinq années à travailler dans une bibliothèque laissent des traces. Je n'avais jamais été très proche de Pervinca mais dès qu'elle serait guérie, je lui apprendrais à entretenir un garde-manger, pour changer.

Je sélectionnai des pots de sauce tomate vermeille, d'artichauts au vinaigre, d'aubergines en saumure, de courgettes parfumées au persil, de fenouils en tranches parsemés de brindilles arrachées à leur panache, de champignons cueillis à l'automne dernier, de poivrons rouges et jaunes, plus quelques gros bocaux de légumes variés : oignons grelots, fleurons de choux-fleurs, céleri, jeunes carottes, haricots verts et ail. J'ajoutai des fruits au sirop : pêches, abricots, poires et prunes, reines-claudes, groseilles à maquereau.

Tout cet assortiment aboutit dans un gros carton, au fond de ma brouette. Je posai par-dessus quelques produits frais que j'avais sous la main : des miches de pain, une grande saucisse au sang fumée que j'avais faite avec le cochon Mimi l'hiver dernier (je me rappelle toujours à quel cochon correspond tel jambon ou telle saucisse), une corbeille de gâteaux aux pignons de pin et une ricotta, parmi celles que Rosario venait de rapporter de la laiterie. Pour finir, je pris un rouleau de toile cirée que j'avais en stock, mes ciseaux aiguisés, une brosse à récurer et un seau, puis je partis ainsi chargée sur le sentier cabossé menant à la maison de mon frère Giuseppe.

Pervinca dormait encore. Apparemment, le Dr Leobino lui avait administré une dose de cheval. Je suppose que c'était pour son bien. S'il ne l'avait pas assommée de calmants, elle aurait continué à étancher sa soif de vengeance. Dieu seul sait quelle aurait été sa prochaine victime ? Giuseppe était encore sur la piste des amants, Etna catatonique et les plus jeunes enfants livrés à eux-mêmes.

Immédiatement, je m'attaquai au cellier. Je ramassai tous les trucs dégoûtants qui pourrissaient là et les balançai aux ordures. Puis je récurai tout du sol au plafond. Je dois dire que les étagères n'avaient pas été lavées depuis des années. La poussière et les toiles d'araignées formaient des couches duveteuses. Je bouchai un gros trou qui devait servir de porte d'entrée aux rongeurs, découpai des bandes de toile cirée dont je tapissai les étagères et enfin, je disposai les bocaux et les bouteilles en rangées. Le résultat se révéla à la hauteur de mes espérances. Ensuite, j'expliquai très clairement à Doda Rospo ce qu'elle devait donner aux enfants pour leur déjeuner en précisant que je repasserais préparer le souper. J'éprouvai toutefois quelque difficulté à détourner son attention de l'aiguisage des couteaux.

Je pris congé après lui avoir recommandé de ne pas les laisser à la portée des enfants. Nous avions eu notre compte de tragédies.

À la *fattoria*, les tomates avaient besoin de mon intervention urgente. Elles étaient tellement mûres que la récolte ne pouvait plus attendre. Il fallait commencer à préparer le *'strattu* si je voulais en avoir pour l'hiver. J'étais en pleine cueillette quand j'entendis l'explosion. Je levai les yeux vers le volcan en me demandant s'il allait entrer en éruption. Comme il ne semblait guère menaçant, je retournai à ma récolte. J'adore l'odeur de la tomate à tel point que je reniflai chaque fruit avant de le déposer au fond du panier.

À l'heure du déjeuner, j'étalai sur des planches au soleil les tomates tranchées et salées. De temps à autre, je les retournais au moyen d'une grande cuiller en bois. Cette activité me procurait une intense satisfaction. Nous disposerions d'une grande quantité de concentré de tomates, cet hiver, et chaque pot contiendrait quelques rayons du soleil qui brillait aujourd'hui.

On ne peut se permettre aucune distraction quand on prépare le *'strattu*. Il faut le remuer souvent avec une cuiller pour que le jus s'évapore régulièrement. Dans l'après-midi, je tournais toujours, perdue dans mes pensées, quand tout à coup les lézards détalèrent comme si quelque chose les avait effrayés. En levant les yeux, j'eus la surprise de voir la silhouette noire de Sophia Baci contrastant avec le rouge vif des tomates, sur fond de clarté solaire.

« Rosa, dit-elle, je voulais te l'annoncer moi-même. Il est mort. Don Umberto. Il y a eu une explosion. Dans la boutique du barbier Bruno

Fissagi. Une bombe. Bruno Fissagi et Selmo Archangelo sont à l'hôpital. »

Elle m'attrapa et me serra contre elle.

« Toutes ces années, je l'ai haï, ajouta-t-elle. Maintenant je me sens libre. »

C'était bizarre. D'habitude, on ne se réjouit pas de la mort de quelqu'un. Mais dans ce cas particulier, si. Désormais, je n'avais plus rien à craindre pour l'Inglese. La triste histoire de Bartolomeo avait trouvé une fin équitable, son assassin ayant fini par expier son crime. Hier, je l'avais maudit, aujourd'hui il était mort. Avais-je des dons magiques, comme Guerra et Pace ? Quoi qu'il en fût, je me sentais soulagée.

Plus tard dans l'après-midi, je revins m'occuper du *'strattu* après avoir cueilli des pêches. Mauro était déjà là ; il tournait mes tomates avec la cuiller. J'aurais préféré qu'il ne s'en mêle pas.

« Il est parti ? demanda-t-il d'une voix chargée d'espoir.

— Il va revenir, répondis-je en lui prenant la cuiller des mains.

— Autrefois, j'ai eu un amour de vacances, dit-il. Ça n'a pas duré.

— Qui est en vacances ?

— Lui », répondit-il.

Comme cette conversation m'importunait, je tournai le dos et continuai mon travail.

Très vite, il se remit à papoter :

« Tu sais ce qui est arrivé à Festo Pustolino ?

— Non, répondis-je sans enthousiasme.

— Il paraît qu'il était Via Molino quand la bombe a explosé. Il a senti quelque chose tomber sur le rebord de son chapeau. Devine ce que c'était ?

— Je ne sais pas, dis-je en me retournant. Quoi donc ? »

Il me regarda de ses prunelles noires pétillantes, me fit languir quelques secondes et lâcha, tout content de lui :

« Un pouce !

— Quelle horreur !

— Ben oui. Mais il l'a rendu. On l'a mis dans de la glace et on s'est dépêché de l'apporter à l'hôpital. Ils sont en train de le recoudre sur son propriétaire. Bruno Fissaggi. »

Mauro connaissait tous les potins avant tout le monde. Il a la tête de quelqu'un qui attire les confidences. Bien qu'il fût nouveau dans la région, il était aussi bien intégré que si nous l'avions vu naître et grandir parmi nous.

« En plus, c'était un chapeau tout neuf, ajouta-t-il. Il l'avait eu à la *festa*. Benedetta le lui avait offert pour son anniversaire. À force de frotter, elle a réussi à enlever la tache de sang mais Festo dit qu'il ne le portera plus jamais. »

Chaque fois que je verrais un bocal de *'strattu*, je me souviendrais de ce jour-là, celui où Don Umberto était mort. Et il était bon à se damner, ce *'strattu*, croyez-moi.

Chapitre vingt-neuf

Le lendemain, lui aussi, est resté gravé dans ma mémoire. Ce jour-là, le volcan cracha un grand panache de fumée orange qui remplit le ciel de nuages aux formes étranges. Nous étions attablés à déguster ma gelée de pastèque. Don Umberto était mort. L'Inglese pouvait revenir sans craindre pour sa vie. Quant à moi, j'avais repris mes diverses activités. Les bocaux de *'strattu* s'alignaient dans le garde-manger, près des pêches au sirop. Du linge plus blanc que blanc séchait sur l'herbe. Une pile de lettres tapées à la machine attendait d'être postée. J'avais taillé mes crayons. Nourri les cochons. Ramassé les œufs. Récuré les marches. Et pour le souper, j'avais préparé une montagne de *causunedda* que nous mangerions avec une sauce aux anchois et de la scarole braisée.

Pour préparer une gelée de pastèque, il faut choisir quelques beaux fruits – c'est tellement bon qu'il vaut mieux en prendre plusieurs. D'abord on enlève la peau et les pépins puis on presse la pulpe à travers un tamis fin, ce qui prend du temps. On verse le jus dans une casserole avec un peu de sucre et de la fécule de maïs et on mélange en s'assurant qu'il ne subsiste aucun grumeau. Après, on pose sur le feu sans cesser de remuer sinon la mixture attache et prend un goût de brûlé. Dès qu'on voit de petites bulles se former sur le pourtour de la casserole, on éteint, on incorpore de la cannelle en poudre et une bonne tasse d'eau de jasmin. Une fois la gelée refroidie, on y ajoute des brisures de chocolat et, pour ceux qui aiment, une cuillerée ou deux de confiture de courge dont on aura émincé les morceaux au préalable. Humecter à l'eau froide des petites coupelles en verre, ce qui empêchera la gelée d'adhérer, les garnir avec la préparation et les laisser reposer dans un endroit frais avant de les décorer avec du chocolat râpé, des fleurs de jasmin ou quelques pistaches broyées, à votre goût.

J'ai un souvenir très précis de ce dessert. Je dois dire qu'avec cette chaleur, nous le trouvâmes à la fois succulent et merveilleusement rafraîchissant. Comme je grattais ma coupelle avec ma cuiller pour recueillir les dernières miettes de cannelle et de chocolat, j'avisai Rosario, de l'autre côté de la table. Il avait pris la main de Biancamaria Ossobucco et la caressait tendrement. Je léchai la cuiller. Les copeaux de chocolat fondirent sur ma langue. Ce pauvre Rosario avait fini par perdre ce qu'il lui restait de raison, me dis-je en me demandant ce que j'allais faire de lui. Devais-je le faire enfermer à l'asile de Santa Pasqua avant qu'il ne cause des problèmes dans la région ? Ici, les hommes ne plaisantent pas avec ces choses-là et j'avais déjà perdu mes frères bien aimés à cause d'un mari jaloux.

Je ruminais ce genre de pensée quand je surpris un échange de regards entre Rosario et Biancamaria Ossobucco. Aussitôt, mon esprit se figea. Mon souffle fit de même. Puis d'une voix haute et intelligible, à des lieues du baragouin baveux dont il était coutumier, Rosario déclara :

« Rosa, je voudrais épouser Biancamaria. Me donnes-tu ta permission ? »

Je suppose que ma mâchoire inférieure lâcha d'un coup car la guêpe qui vadrouillait dans le secteur fit une tentative d'intrusion dans ma bouche. Je la chassai d'une gifle et dans le prolongement de ce geste, je vis ma main, apparemment dotée d'une volonté propre, se tendre vers une coupe de gelée, la ramener vers moi et puiser une première cuillerée. Quand j'y repense, je me félicite de ma réaction. J'aurais pu éclater de rire, ce qui aurait fait mauvais effet. Pour être tout à fait sincère, je ne trouvais pas ça drôle du tout. En fait, je restai muette, totalement absorbée dans la dégustation du dessert à la pastèque. Quand je ne sais que dire, je ne dis rien. C'est dans mon caractère. Quelques bouchées plus tard, Rosario renchérit :

« Tu n'es pas fâchée, Rosa, hein ?

— Non », répondis-je en me léchant les lèvres. Je n'étais pas fâchée, c'est vrai.

« C'est juste que je l'aime et qu'elle m'aime », poursuivit-il.

J'étais quelque peu sceptique. C'était le moins qu'on puisse dire. Quant à Biancamaria Ossobucco, elle était aussi rose qu'un abricot mûr.

« Et toi, Biancamaria Ossobucco, qu'en dis-tu ? lui demandai-je.

— C'est exact, murmura-t-elle. Je sais que cela ne fait pas longtemps que les garçons m'ont été enlevés ». À ces mots, ses yeux s'emplirent de larmes et Rosario lui serra plus fort la main. Elle avait raison, cela ne faisait pas longtemps puisque la période de deuil n'était pas terminée.

« Mais il a toujours été gentil avec moi, Rosa. »

Rosario intervint : « Je l'ai toujours aimée, je t'assure, toujours.

— La solitude est mauvaise pour une femme comme moi. Rosario est un brave homme et il me veut. Ne me fais pas de reproches, Rosa, toi qui as toujours été si bonne avec moi, car si jamais cela te contrariait, je refuserais. Voilà pourquoi je voulais qu'il demande ton accord, avant de rendre ma réponse. »

Une troisième coupe de gelée se matérialisa devant moi. Quand elle fut avalée, je répondis :

« Eh bien, si vous vous aimez et que vous êtes sûrs de le vouloir, ce n'est pas moi qui m'y opposerai, vous pouvez en être certains. La vie est courte et je crois qu'on doit suivre son cœur. Si vous croyez pouvoir être heureux ensemble, alors je serai la première à vous souhaiter tout le bonheur du monde. »

À ces mots, Rosario bondit de joie comme un gamin de vingt ans. Il avait les larmes aux yeux et une expression de ravissement sur le visage. Il prit Biancamaria Ossobucco dans ses bras, la souleva – et ce n'est pas un poids plume, croyez-moi –, l'embrassa, rit, l'embrassa encore, la jeta en l'air et la rattrapa. Elle, de son côté, riait, hurlait, pleurait tout à la fois. Je dois dire que je n'avais jamais assisté à une telle démonstration d'allégresse.

Après que Rosario eut emmené sa fiancée, je remarquai que la fumée dans le ciel avait viré au mordoré. C'était très joli. Pour mettre de l'ordre dans mes idées, je pris un sac de farine et quelques minutes plus tard, une boule de pâte prenait forme sous mes mains. Je pétrissais avec acharnement tout en ressassant cette litanie : mon père deviendrait mon beau-frère, mes nièces seraient mes sœurs, ma belle-sœur ma belle-mère.

Rosario avait radicalement changé ; la chose demeurait incontournable quelle que fût la vigueur avec laquelle je m'acharnais sur la pâte. Il ressemblait à une personne normale. Qu'était-il arrivé au simple d'esprit que nous connaissions et aimions ? Est-il possible que le bonheur ait induit de tels changements en lui ? Difficile à croire, et pourtant. Bien sûr, le fait qu'il ait recouvré la raison n'atténuait pas la différence d'âge entre lui et Biancamaria Ossobucco. Cela dit, la scène à laquelle je venais d'assister démontrait que l'amour pouvait transformer un homme mûr en adolescent insouciant.

Pour tout dire, j'étais la seule à tomber de la lune. Cela faisait des lustres que tout le monde était au courant. Rosario aimait Biancamaria Ossobucco depuis l'époque où elle exerçait ses talents au bordel d'Adrano et où il économisait tout l'argent de sa paie pour pouvoir passer du temps avec elle à discuter. Malgré son mariage avec les jumeaux, il n'avait jamais perdu espoir de la faire sienne un jour. Oui, tous les gens de la région avaient prévu qu'ils se marieraient, et ce dès la nuit où les jumeaux avaient été assassinés. Je me rappelle avoir trouvé bizarre que Rosario s'écroule en apprenant la triste nouvelle. J'avais mis cela sur le compte du chagrin mais il semble aujourd'hui qu'il ait défailli en voyant se présenter à lui la possibilité de cette union tant désirée.

Je suis sûre d'avoir entendu un rire, à ce moment précis. C'était Mamma. Je ne la vis pas mais je l'entendis clairement proférer : « On dirait qu'ils font tous la queue pour épouser cette pute grêlée. J'en reviens pas ! »

SALSA

(Sauce)

Chapitre trente

J'avais du mal à l'admettre mais Biancamaria Ossobucco n'était pas la seule à attirer les prétendants. L'Inglese n'était pas rentré de son voyage d'affaires quand un autre étranger se présenta parmi nous. Le troisième depuis le printemps.

Ce matin-là, Mauro m'avait apporté un énorme poulpe acheté chez le poissonnier, le vieux Zumbo. C'était une belle bête à la chair caoutchouteuse de couleur brun roux, tout juste sortie de la mer dont elle gardait le parfum. On dit qu'un homme qui porte une pieuvre dans ses bras porte l'amour dans son cœur. Des histoires de bonnes femmes sans aucun intérêt pour moi. J'en avais plein les mains quand soudain je levai la tête pour regarder la cour inondée de soleil. En plissant les yeux, j'aperçus une silhouette marcher en direction du portillon. Je savais que ce n'était pas l'Inglese car il ne devait rentrer que le lundi suivant. D'ailleurs, le visiteur ne lui ressemblait en rien. Il était petit et maigre. Un étranger, certainement. Il portait une sorte de sombrero assez grand pour lui cacher le visage et une tunique colorée. Il posa les bras sur la barrière comme l'Inglese l'avait fait, le jour de son arrivée. Cette similitude m'intrigua.

Je remplis d'eau ma plus grande bassine, y déposai délicatement la pieuvre en la recouvrant d'un torchon et sortis à la rencontre de l'inconnu. Plus je m'approchais plus il me semblait familier, encore qu'aucun nom ne me vînt en tête.

« Signorina Fiore », articula-t-il.

Je le regardai intensément. J'avais déjà entendu cette voix.

« Vous ne vous souvenez pas de moi, reprit-il d'une voix navrée mais sans me quitter des yeux. Gerberto Rivoli. Nous étions voisins Via Vicolo Brugno.

— Signor Rivoli, fis-je éberluée. C'est vraiment vous ? Vous avez changé. Vous êtes malade ?

— Les lunettes, expliqua-t-il. Elles ne m'avantagent guère mais j'avoue que sans elles, je n'y vois pas grand-chose. »

Il se mit à fourrager dans son sac à dos gonflé, trouva les fameuses lunettes et les chaussa. Avec ces verres épais comme des culs de bouteille, son visage perdit de son étrangeté.

« Ah, c'est bien vous, dis-je. Je vous remets, maintenant. »

Ayant éclairci ce mystère bénin, je ne voyais pas trop quoi ajouter.

« Je constate que l'Etna fume, se hasarda-t-il en désignant le volcan dont s'échappaient d'épaisses spirales de vapeur. Va-t-il entrer en éruption ?

— Oh, je ne pense pas, répondis-je. Il fume sans arrêt. C'est tout à fait normal. »

La rumeur se répandit aussitôt parmi les ouvriers agricoles qu'un autre étranger courtisait Rosa.

« J'ai pris une semaine de congé à la banque, dit-il. Mon subordonné, Crotto, tient la boutique.

— Pourquoi ?

— Je voulais vous voir.

— Pour quoi faire ? » Je ne trouvais pas la moindre raison valable.

« Pour vous remettre ce… »

Il replongea dans son sac à dos qu'en désespoir de cause, il dut vider de son contenu : un caleçon de flanelle grisâtre, deux pyjamas rayés, un tube d'onguent Emo pour les hémorroïdes. Il jeta le tout par terre d'un air dégoûté.

« Où l'ai-je mis ? piaillait-il. Ne me dites pas que je l'ai oublié. »

Il repartit à la pêche et son manège dura si longtemps que c'en devint gênant. Le tas à ses pieds prit de la hauteur : une échelle de corde, une paire de patins à roulettes, un lapin empaillé. Je commençais à me demander ce qu'il allait me sortir ensuite quand, avec un air triomphal, il finit par exhiber un truc enveloppé dans du papier journal qu'il me tendit par-dessus la barrière.

Je défis le paquet. C'était une assiette en argent, commémorant mes bons et loyaux services à la bibliothèque de Palerme. Y était gravé :

Rosa Evangelina Fiore
Pour ses 25 années de service
à la Bibliothèque nationale
1933-1958

« C'est joli, Evangelina. J'ignorais que c'était votre deuxième prénom. Il vous va bien. »

Il contemplait avec orgueil l'assiette qui luisait entre mes mains.

« Un étranger a demandé après vous, reprit-il. Un type pas commode. Grosse *pancia*. Petite moustache. Ça m'a donné l'idée de partir à votre recherche. J'avais gardé ceci pour vous le remettre, au cas où vous reviendriez. Je l'astiquais de temps en temps – voyez comme elle brille.

— Merci. »

Je n'avais pas la moindre envie de l'accueillir chez moi mais je me disais qu'il méritait quand même un rafraîchissement, après ce long voyage. J'ouvris donc le portillon. À cet instant, il y eut comme une bourrasque. Des poils, des crocs, de la poussière. Tous les chiens de berger de la vallée se précipitèrent sur lui. Je les repoussai en les menaçant avec l'assiette mais trop tard, il avait reçu plusieurs morsures.

« Les chiens ne m'aiment pas, expliqua-t-il en suçotant sa main blessée. C'est regrettable mais qu'y puis-je ? »

Lorsqu'il entra dans la *cucina*, il promena ses yeux myopes un peu partout. Sur ces entrefaites, les ouvriers débarquèrent pour voir qui était le deuxième visiteur. Ils ne se gênèrent pas pour faire leurs commentaires à haute voix :

« C'est un nain, celui-là, dit Luciano.

— Elle est plus grande que lui, abonda Gaddo. Moi aussi, j'aime quand les femmes sont plus grandes que moi.

— Qu'est-il arrivé à son autre galant, le joufflu ? demanda le vieux Aulo.

— Quand il reviendra, il lui tordra le nez.

— Elle est comme le volcan, pareil. Rien pendant des années et après deux, coup sur coup.

— Ils sont comme des guêpes sur un pot de confiture, voilà. »

Comme des guêpes, je les ai chassés d'un geste : « Vous n'avez rien d'autre à faire ?

— Jolie maison », dit le signor Rivoli.

En guise de réponse, j'esquissai un petit sourire. Franchement, il me tardait qu'il s'en aille. Le jour où il était venu me voir à l'hôpital, après l'incendie, j'avais fait semblant de dormir. Et lui ne cessait de se tortiller dans le fauteuil en skaï qui émettait des bruits gênants à chacun de ses mouvements. À l'époque, je n'avais rien eu à lui dire. Aujourd'hui, c'était pareil.

« J'ai voulu vous rendre visite à l'hôpital, reprit le signor Rivoli comme s'il lisait dans mes pensées. Mais vous étiez partie. Les sœurs ont dit que vous aviez été enlevée par les suppôts de Lucifer.

— Oh non, répliquai-je. Ils n'étaient les suppôts de personne. C'étaient mes frères. »

De nouveau, un ange passa. Je voyais bien que quelque chose lui brûlait les lèvres.

« Je vous apporte des nouvelles de vos vieux amis, se lança-t-il. Le signor Frolla a épousé cette jeune donzelle de la bibliothèque.

— Costanza. Oui, je sais. »

Il se dégonfla comme une baudruche. Puis une autre idée lui vint.

« Ils ont un chiot. Une bête avec une gueule minuscule, molle et toute ridée, du même genre que l'autre, celui qui est mort écrasé sous l'immeuble en flammes.

— Un carlin.

— Oui, un carlin. Il m'a mordu lui aussi. »

Je hochai la tête.

« La signora Bandiera s'est fait une nouvelle coiffure, une chose énorme. Une choucroute, comme ils disent. »

Deuxième hochement de tête.

« Avez-vous des questions ?

— Non, répondis-je sans mentir. Tout cela me semble appartenir à une autre vie, à présent. »

Je me levai.

« Eh bien, c'est très aimable à vous de m'avoir apporté cette assiette, dis-je. Maintenant, si vous voulez bien m'excuser, j'ai une salade de poulpe à préparer, je ne voudrais pas qu'il se gâte, et il faut que je donne à manger aux cochons. Ils ont faim à cette heure de…

— Comptez-vous revenir ?

— À Palerme ? Oh non. Ma vie est ici désormais.

— J'espérais que vous reviendriez. »

Il se ménagea une pause et ajouta :

« Avec moi.

— Avec vous ? fis-je d'une voix incrédule.

— Comme mon épouse. »

L'incrédulité laissa place à un autre sentiment. Qu'y a-t-il de plus fort que l'incrédulité ? La stupéfaction ? Oui, j'étais stupéfaite.

« J'ai apporté une alliance et tout, se hâta-t-il de préciser. Elle est dans mon sac à dos. Où est mon sac à dos ? Je vous en prie, laissez-moi vous la montrer. »

Encore une fois, il plongea dans le sac. Le tube de pommade resurgit mais sans son bouchon. Un gros ver couleur saumon en sortit et se répandit sur le dallage de la cuisine.

« Non, s'il vous plaît, m'écriai-je sur un ton suppliant qui m'étonna moi-même. N'en faites rien. Je ne peux pas vous épouser. C'est très aimable à vous, mais c'est impossible.

— Puis-je au moins vous la montrer avant que vous disiez non ?

— Non.

— Je vais la retrouver, vous allez voir.

— Je suis désolée mais cela ne changera rien à ma décision. »

Cette discussion ridicule me devenait insupportable. J'avais envie de l'attraper par le col et le jeter dehors. Mais je répugnais à le toucher. Le temps suspendit son cours. Le signor Rivoli semblait changé en statue de sel.

« Je suis désolée », répétai-je. Et c'était vrai, j'étais désolée. « Merci et adieu.

— Vous ne voulez pas réfléchir un peu ?

— Non. Merci. Non. Adieu. »

Quand j'eus enfin réussi à refermer derrière lui le battant inférieur de la porte, je me sentais vidée. Sans forces. Si ce matin quelqu'un m'avait dit que le signor Rivoli se présenterait à la *fattoria* pour demander ma main, je lui aurais ri au nez.

Après quelques minutes d'hébétude, je repris le cours de mes activités. Ayant rempli d'eau mon plus gros chaudron, j'ajoutai une poignée de sel de mer et j'attendis l'ébullition pour verser une bonne rasade de vin blanc, c'est-à-dire la moitié d'une bouteille. Pour faire bonne mesure, je lampai quelques bonnes gorgées de ce qu'il restait, histoire de me remettre, puis je saisis le poulpe par la tête pour plonger ses tentacules dans l'eau bouillante un instant avant de le ressortir. Je répétai trois fois de suite cette opération assez pénible, vu le poids et le volume de la bête. Ensuite, je le lâchai, je posai le couvercle et laissai bouillir une demi-heure environ.

Pendant que le poulpe cuisait, je tentai de nettoyer la pommade contre les hémorroïdes répandue sur le carrelage de la cuisine. C'était tellement poisseux que, malgré mes efforts, je ne pus tout enlever. La tache est encore là, aujourd'hui. Quand je marche dessus, ma semelle reste collée un instant, comme pour rappeler à mon souvenir cette scène pénible et la figure odieuse de ce pervers de Rivoli.

Bien sûr, je n'oubliai pas de retirer la marmite du feu à l'heure prévue. Je laissai le poulpe tremper encore une demi-heure pour qu'il s'attendrisse puis je l'égouttai et, avec un couteau bien aiguisé, sectionnai la tête. Celle-ci étant la partie la plus savoureuse, j'estimais qu'elle revenait de droit à Mauro puisqu'il avait acheté le poulpe et qu'il avait dû lui coûter cher. Après avoir vidé les entrailles tachées d'encre et déposé la tête dans un grand saladier, je coupai chacun des tentacules en petits morceaux pour en garnir le plat auquel j'ajoutai des tranches de céleri et plusieurs poignées d'olives noires. J'assaisonnai l'ensemble avec du sel et du poivre fraîchement moulu, versai quelques filets de ma meilleure huile d'olive et touillai la salade avec les mains avant de couvrir. Enfin, je saupoudrai la préparation avec du persil finement haché et je la rangeai dans un endroit frais afin que les saveurs se mêlent bien.

On doit laisser reposer ce plat une heure, à tout le moins. Juste avant de servir, on complète avec quelques feuilles de salade verte et, si l'on veut, des pommes de terre bouillies coupées en morceaux, ainsi qu'un bon jus de citron. C'est un vrai régal.

Ce soir-là, au souper, les ouvriers se rassemblèrent autour de l'assiette en argent exposée sur le buffet. Ils n'avaient jamais rien vu d'aussi splendide. Comme tous ne savaient pas lire, je dus expliquer et réexpliquer ce qui était écrit dessus. Ils trouvaient désopilant cet afflux de soupirants à ma porte. Ce genre de plaisanteries leur plaisait énormément mais bien moins que ma sublime *insalata di polpo*. Malgré mes protestations, Mauro insista pour que je mange la tête du poulpe. C'était absolument divin, comme un rêve caoutchouteux tout droit surgi de la mer. Quelque chose dans ce plat nous a tous rendus heureux et insouciants, ce soir-là. Quand les ouvriers quittèrent la table pour rentrer chez eux dans le crépuscule, ils entonnèrent les vieux refrains du folklore sicilien que Filippo chantait autrefois. En écoutant leurs voix s'éloigner le long du chemin, je me dis que ces hommes étaient les meilleurs ouvriers du monde.

J'étais là, au cœur de la nuit, allongée seule dans mon petit lit où l'odeur enivrante de l'Inglese luttait contre les relents mentholés de ses onguents, à ressasser les événements de la journée. Je ne m'étais jamais considérée comme une femme séduisante. Je suis un peu enveloppée, quand je marche mes cuisses frottent l'une contre l'autre, mon visage n'a rien de beau, mes cheveux grisonnent un peu plus chaque jour et j'ai des oignons aux pieds à cause de mes chaussures trop serrées. Malgré tout cela, j'ai un amant en titre, un homme du monde à l'élégance nonchalante, plus mon frère Mauro qui prétend m'aimer bien que je me méfie grandement de ce qu'il raconte ; et voilà qu'à présent, le Rivoli me demandait en mariage. J'avais beau savoir que ce type était un malade et un pervers, je dois avouer que sa démarche me flattait quelque peu. J'espérais presque que Costanza, l'aide-bibliothécaire qui s'était toujours moquée de moi et avait fini par épouser Nonno Frolla, l'ancêtre, ait vent de ma bonne fortune. Contrairement à elle, j'avais réussi à séduire non pas un ni deux mais trois vrais hommes, tous âgés de moins de cinquante ans.

Chapitre trente et un

Le signor Rivoli n'était pas rentré chez lui à Palerme, comme je l'avais cru. Cette nuit-là, il pénétra dans ma chambre. Les choses se déroulèrent ainsi. Bien qu'endormie, je sentis quelqu'un se glisser discrètement sous les draps, près de moi. J'étais encore engluée de sommeil ; un parfum capiteux flottait dans la nuit moite. Aucun souffle d'air ne franchissait les fenêtres ouvertes sur les persiennes rabattues. On n'entendait que le chant des grillons, le bêlement repu des chèvres de Simple Fogna (qui avaient, mais je ne le découvrirais que le lendemain matin, pénétré dans mon potager et ravagé mes plantations) et le vagissement des chattes en chaleur.

À travers cet épais voile de torpeur, je crus reconnaître l'Inglese. Je tendis la main pour le toucher. Il était habillé, chose étrange car il avait coutume de dormir nu. À tâtons, j'entrepris de le dévêtir en commençant par les boutons de sa chemise dont les manches me donnèrent bien du mal, puis la boucle de ceinture, ma vieille ennemie. En dessous, il portait un curieux caleçon de flanelle. Pourquoi s'affubler d'un truc pareil, en plein mois de juillet ? Quand à force de persévérance, je finis par le lui enlever, je sentis l'épaisseur du tissu sous mes doigts.

J'étais un peu plus réveillée, disons qu'un quart de mon cerveau dormait. Et mon corps délicieusement alangui gagnait en température.

Il avait beaucoup maigri. Mes doigts qui couraient sur son corps revinrent au point de départ plus vite que d'habitude. Avait-il rétréci également ? Son odeur que j'aimais tant avait changé, elle aussi. Avant, il sentait bon l'eau de Cologne, avec une note de cognac et de tabac. Une seule bouffée avait le don de m'enivrer. Cette nuit-là, au parfum excitant se substituait un composé nauséabond, entre la poussière de grenier et la moisissure de cave. Demain matin, j'exigerais des explications.

Mais pas maintenant. Je voulais d'abord mêler mon corps au sien jusqu'à plus soif.

J'attrapai son membre. Dès le premier contact, il se dressa comme un ressort. J'avais en mémoire quelque chose de plus grand, de plus gros aussi. Cette nuit, il avait la taille d'un crayon. Cela me rebuta, je le lâchai.

« Continuez, signorina Fiore, je vous en supplie », gémit une voix grêle, haut perchée. Rien à voir avec celle de l'Inglese.

Il ne m'en fallut pas davantage pour me réveiller complètement. Cette voix geignarde, je la connaissais. Je cherchai la lampe de chevet à tâtons et j'allumai. En découvrant le Rivoli, je poussai des cris d'épouvante.

« J'aime aussi le faire avec la lumière allumée, dit-il tandis que ses yeux, comme des araignées, clignaient derrière leurs culs de bouteille.

— Non, hurlai-je, hésitant entre horreur et incrédulité. Il y a erreur. Je vous ai pris pour quelqu'un d'autre.

— Non. Il n'y a pas d'erreur. Je sais que vous me désirez. Vous les femmes vous adorez ces petits jeux coquins. Vous faites semblant de ne pas vouloir mais vous ne pensez qu'à ça. J'ai pas raison ? »

À ces mots, il me plaqua sur le lit et enfonça quelque chose de charnu, de dur et de sinueux dans ma bouche. Sa langue. J'eus beau me débattre, il tenait bon. Il était costaud pour un homme si petit. Il s'accrochait à moi comme une bernique à son rocher.

Tandis que nous luttions, j'avais comme l'impression qu'on nous observait. Je tendis le cou pour voir ce qu'il y avait derrière le Rivoli et c'est alors que j'aperçus l'Inglese. Il était revenu. Il se tenait sur le pas de la porte et regardait la scène. Son visage n'était qu'un masque figé par l'horreur, la surprise, la colère. Ses yeux lançaient des éclairs qui s'abattaient sur moi, telles des flèches enflammées.

« Non, *amore* », criai-je, et dans un effort surhumain, j'éjectai le Rivoli qui s'envola, heurta le plafond et retomba comme une pierre. Il ne bougeait plus. Était-il mort ? C'était le cadet de mes soucis.

« Ce n'est pas ce que tu crois, hurlai-je. Je vais t'expliquer. »

Mais l'Inglese ne voulait rien entendre. Sans prononcer une parole, il tourna les talons. En le voyant sortir de la chambre, mon cœur se brisa. Je voulus le rattraper mais quand je sautai du lit, je commençai par trébucher sur le corps de Rivoli et ensuite, je m'étalai à moitié sur lui, à moitié par terre. Quelque chose craqua sous l'impact. Comme il ne réagissait pas, j'en conclus qu'il était mort. Parfait. Au moins, cela m'éviterait de l'étrangler pour avoir semé la zizanie dans ma vie privée.

Mes mains m'élançaient d'avoir amorti ma chute. M'étant relevée, je fonçai vers la porte où je trébuchai de nouveau, cette fois-ci sur l'énorme sac à dos que cette cruche avait laissé traîner au beau milieu du passage. Je me cognai le front en tombant, si bien que je ne marchais pas droit en m'engouffrant dans le couloir. Pas la moindre trace de l'Inglese. Je descendis l'escalier, la tête à l'envers. L'Inglese n'était nulle part. Comment avait-il fait pour disparaître si vite ? En déboulant dans la *cucina*, je vis que la porte donnant sur l'extérieur était fermée. Je l'ouvris et sortis, espérant le trouver dans la cour. Il n'avait pas pu aller bien loin durant les quelques secondes qu'il m'avait fallu pour me lancer à sa poursuite. Arrivée au bas des marches, je réalisai que j'étais nue. Mais je m'en fichais. Je devais le rattraper. Je devais lui expliquer. Certes, la scène dont il avait été témoin pouvait prêter à confusion, mais il fallait qu'il comprenne. Je lui raconterais tout et après, nous en ririons ensemble. Mais pour l'instant, il s'agissait de le retrouver. J'ouvrais le portillon quand quelqu'un me saisit le bras. Je réagis en me débattant. Je devais me libérer, rattraper l'Inglese, lui dire que…

« Rosa, fit une voix masculine.

— Ce n'est pas ce que tu crois, implorai-je. Laisse-moi t'expliquer. C'est une erreur. J'étais endormie quand il est entré. Je l'ai pris pour toi. Je rêvais. Mais après, j'ai compris que non. Que ce n'était pas toi, je veux dire. C'était lui. Parce que son membre était tout petit. C'est comme ça que j'ai réalisé que quelque chose clochait. Et alors je me suis réveillée et je l'ai vu et j'essayais de me débarrasser de lui quand tu es arrivé. Il faut que tu me croies. Je t'en prie, c'est vrai. »

J'étais à bout de souffle. À cet instant, je compris mon erreur. Ce n'était pas l'Inglese. Mais Mauro.

« Où est-il ? hurlai-je paniquée en regardant autour de moi.

— Qui ça ?

— L'Inglese.

— Je n'en sais rien, répondit-il. Je le croyais parti. Et c'est pas moi qui vais le regretter, tu peux me croire. Tu as fait un rêve. Une crise de somnambulisme. Tu courais en dormant. Je t'ai vue dévaler les marches, traverser la cour, déverrouiller le portail, et tout cela en dormant à poings fermés. C'est curieux parce que moi aussi, j'étais somnambule quand j'étais petit. Je me suis dis que je devais t'empêcher d'aller sur la route. Qu'auraient dit les gens s'ils t'avaient vue courir toute nue dans la campagne. »

J'étais morte de honte. Mauro ôta sa chemise et me la donna. Je l'enfilai en toute hâte. Par chance, elle était assez grande pour me couvrir. Je remarquai l'épaisse toison sur son torse.

« Tu crois que ça va aller ? demanda-t-il.

— Oui, dis-je en lui tournant le dos. Merci. »

Je le laissai en plan et regagnai la maison. Dans la *cucina*, un peu de vin d'amande m'aida à me calmer les nerfs. Je me sentais épuisée. Quelle nuit ! Quel rêve ridicule ! Il n'y avait plus aucun doute, à présent : j'avais fait un cauchemar. Pourtant, quand je remontai dans ma chambre, je n'en menais pas large. Et si jamais je tombais sur Rivoli étendu par terre ? Mais il n'y était pas. Le sac à dos non plus. J'avais vraiment rêvé. Je me couchai, recrue de fatigue, sans même enlever la chemise de Mauro. Son odeur m'enveloppait, et c'était agréable. Heureusement, j'oubliai vite mes angoisses et mes remords. Le sommeil s'abattit sur moi, un sommeil profond, sans rêves, qui se prolongea tard dans la matinée, en tout cas bien plus tard que d'habitude.

Quand je me réveillai, j'avais des piqûres de moustiques dans des endroits inusités de mon corps et une entaille rouge en travers du front, résultat de ma rencontre avec le mur. Mais j'étais profondément soulagée de n'avoir pas partagé mon lit avec Rivoli ; soulagée que l'Inglese n'ait pas assisté à mon déshonneur ; soulagée de n'avoir pas couru la campagne dans le plus simple appareil, car on m'aurait probablement arrêtée pour exhibitionnisme. Bien sûr, je m'étais humiliée devant Mauro mais il m'avait si souvent vue dans cet état que je finissais par m'y habituer. J'ignorais si je devais m'en féliciter ou pas.

Chapitre trente-deux

Un jour, Bruno Fissagi fut assez vaillant pour quitter l'hôpital. Son pouce avait repoussé. On parlait de miracle de la médecine parce que c'était une première. On l'avait photographié avec son pouce en avant et son portrait était dans tous les journaux.

Puis l'Église s'en mêla. D'après les curés, la médecine n'avait joué aucun rôle dans cette guérison. C'était la volonté de Dieu. Padre Goffredo reçut ordre de l'évêque de dire une messe spéciale pour le retour du pouce, ce qu'il fit mais *in absentia* car Bruno Fissagi ayant horreur des chichis, il refusa d'y participer. Et son pouce ne pouvait pas se déplacer sans lui.

Ayant retrouvé son habileté manuelle (c'était son pouce droit), il reprit son commerce de coiffure et vit son chiffre d'affaires augmenter en proportion de sa célébrité. Même s'ils n'avaient pas vraiment besoin d'une coupe, les gens se pressaient chez lui pour voir le pouce miraculé. Il leur présentait quand même la note parce que, disait-il, il tenait une échoppe de barbier, pas une baraque foraine.

La pâtisserie voisine, la pasticceria Tortino, proposait des pouces sanglants en *pasta reale*, ce qui soulevait des difficultés car Bruno Fissagi réclamait une partie des profits tirés des friandises en forme de doigt. Payant déjà le *pizzo*, la redevance due à la Mafia, Manrico Tortino n'avait pas l'intention de cracher au bassinet du coiffeur, par-dessus le marché.

Une part d'ombre subsistait dans toute cette histoire : Bruno Fissagi a toujours soutenu que le pouce n'était pas le sien. Je suppose qu'il était bien placé pour le savoir. Selmo Archangelo, blessé lui aussi dans l'explosion, avait été atrocement mutilé : une jambe arrachée et jamais retrouvée, des dents incrustées dans son nez, mais rien aux pouces. Tout compte fait, le doigt mystérieux ne pouvait appartenir qu'à Don Umberto. Un morceau du parrain continuait donc à vivre sur la main de Bruno Fissagi. Quand on y réfléchit, ça fait froid dans le dos.

Mais j'anticipe. Revenons à l'époque dont il était question auparavant, c'est-à-dire le jour où j'ai donné ma bénédiction au mariage de Rosario et Biancamaria Ossobucco. Aussitôt, cette dernière laissa tomber le grand deuil traditionnel pour se lancer dans les préparatifs de la noce. Elle comptait me prendre comme demoiselle d'honneur. Je trouvais cela plutôt ridicule à mon âge mais je n'eus pas le cœur de la décevoir. Comme par hasard, il fut décidé que Mauro serait mon cavalier. Sans songer à la dépense, il partit avec Rosario se faire tailler un costume sur mesure chez Banquo Cuniberto, le couturier en vogue depuis quelque temps.

Une autre femme renonça à porter le deuil : Sophia Baci. Le jour où ce qu'il restait du corps démembré de Don Umberto fut porté en terre, elle arborait une robe rouge. Ensuite, elle resta abonnée aux couleurs vives, comme si après toutes ces années passées à l'écart de la lumière et de la vie, elle avait décidé de rattraper le temps perdu. J'espérais pour elle qu'elle ne s'en tiendrait pas là et prendrait un amant. Parfois, je me disais que Mauro ferait l'affaire car malgré ses défauts, c'était un homme brave et généreux. Il était aussi baraqué qu'elle était fine, et tout le monde sait que les contraires s'attirent. Bref, quand à mes moments perdus je songeais à la question, je parvenais à la conclusion qu'ils formeraient un couple solide, ces deux-là.

Tandis que nous n'en finissions pas de discuter mariage, nous eûmes la surprise d'entendre un bruit de moteur dans la cour. Un autobus se gara, une impressionnante matrone en descendit, que je ne reconnus pas tout de suite. Aventina Valente, la serveuse de Linguaglossa, veuve de mon frère Luigi. Elle avait bien changé depuis la dernière fois, quand elle avait fait une apparition éclair à l'enterrement de Mamma, drapée dans ses fourrures. C'était à cause de ses cheveux. Elle avait une autre coiffure : teintes en blond, ses boucles formaient à présent un casque volumineux posé au sommet de son crâne. Quand elle saisit mon regard, elle tapota l'édifice capillaire en agitant ses doigts boudinés couverts de diamants et autres pierres précieuses. Je n'aurais pas été étonnée d'entendre ses cheveux produire un tintement métallique mais il n'en fut rien.

« Cela s'appelle une choucroute, dit-elle. Ça fait fureur en ce moment, aux States. »

J'avais déjà remarqué cette coiffure new look sur le crâne de la signora Bandiera. Je suis peut-être vieux jeu mais je n'en vois pas l'intérêt.

Aventina Valente avait emmené avec elle ses quatre énormes filles américaines, Patty May, Sandra

Ann, Betty Jean et Liza Lu, son beau-fils Brad P. Freeway III et ses deux petits-enfants Nancy et Brad P. Freeway IV.

Ils étaient venus assister au mariage de Rosario et Biancamaria Ossobucco, disaient-ils. Personnellement, j'avais du mal à comprendre comment ils avaient pu faire le voyage depuis Chicago si rapidement. Aventina et ses filles composeraient le cortège des demoiselles d'honneur, déclara-t-elle, et le petit Brad, un gamin joufflu surnommé Ivy, serait le page. Cette nouvelle ne me ravit pas particulièrement. Avec cette ribambelle de demoiselles d'honneur, le mariage risquait de tourner au numéro de cirque.

Aventina Valente fit visiter la *fattoria* à sa progéniture. Non seulement aucun d'entre eux ne connaissait l'italien, mais l'ancienne serveuse elle-même prétendait avoir oublié certains mots de sa langue maternelle. Quelle ne fut pas leur joie de découvrir que Betty le perroquet parlait anglais. D'emblée, ils entreprirent d'étoffer son vocabulaire.

Ils examinaient tout, se prenaient en photo devant certaines choses, hurlaient de rire devant d'autres. Je ne voyais pas ce qu'il y avait de si désopilant dans une corde à linge ; cela dit, j'aurais préféré en décrocher mes sous-vêtements avant qu'ils ne les immortalisent. Passionnés par la fumée qui sortait du volcan, ils posèrent devant en rang d'oignons avec des sourires jusqu'aux oreilles, en hurlant « cheese » à s'en faire péter les cordes vocales, pendant que Rosario appuyait sur l'obturateur. Ils firent bruyamment savoir qu'ils espéraient assister à une éruption dévastatrice au cours de leur séjour.

Étant donné le nombre des convives, je dus doubler la quantité de *Pasta alla Norma* prévue pour le déjeuner. Je fonçai dans le potager cueillir une douzaine d'aubergines supplémentaires. Peine perdue, les Américains en voulaient toujours plus. Aventina Valente faisait l'interprète pour son beau-fils, Gargantubrad. Le charmant jeune homme trouvait le pays intéressant mais regrettait la vraie cuisine de chez lui. Il aurait tué pour un bon gros steak bien saignant. Les enfants accueillirent mon boudin blanc aux pêches grillées avec des mines dégoûtées et se mirent à couiner pour qu'on leur serve des crèmes glacées, ce que je n'avais pas.

Bien que je sois très occupée avec nos invités (qui se comportaient comme s'ils étaient les clients d'un restaurant et moi la serveuse), je voyais bien qu'Aventina Valente n'avait d'yeux que pour Mauro, son voisin de table. Elle se tenait si près de lui qu'elle était presque assise sur ses genoux, avec sa grosse poitrine plaquée contre son bras. Je pense qu'il s'agit d'une coutume américaine parce que nos femmes ne se tiennent pas ainsi. Tout émoustillée, elle tâtait ses biceps et défit même un bouton de sa chemise pour juger de la pilosité de son torse, qui était fort impressionnante, j'avais eu l'occasion de le constater : un peu comme une fourrure. Je dois dire que Mauro semblait apprécier ses attentions. Il souriait, riait aux éclats, la couvait de ses prunelles noires pétillantes. En bref, leur attitude à tous les deux me choqua profondément.

Dans l'après-midi, les couturières de Banquo Cuniberto apparurent avec les échantillons de tissus. Elles mesurèrent et déshabillèrent tout le monde, sous-vêtements non compris. Malgré son statut de future mariée, Biancamaria Ossobucco n'eut pas vraiment voix au chapitre. Moi non plus, d'ailleurs. Résultat : la couleur jaune canari fut choisie pour les robes du cortège. Je tiens à signaler que cette couleur ne me flatte guère. Bien que la mode soit aux vêtements près du corps, courts et colorés, j'exigeai que ma robe couvre mes genoux. Je serais la seule à ne pas porter de minijupe. Les couturières allaient devoir travailler sans répit jusqu'à ce que tout soit prêt.

Quand les triplettes, lassées de jouer avec le petit Brad, l'eurent immergé dans l'abreuvoir mais pas assez longtemps pour le noyer, quand Nancy fut tombée de la barrière dans la soue aux cochons, quand Aventina Valente eut réussi à se séparer de Mauro, ils regrimpèrent tous dans l'autobus et débarrassèrent le plancher.

Ils logeaient dans un hôtel à Taormine. Toutes ces dépenses et toute cette route ! Personne de mon entourage n'avait jamais mis les pieds à Taormine. Aventina Valente prétendait que c'était le seul endroit où l'on était sûr d'avoir l'eau courante. Ici nous l'avons, l'eau courante, mais j'étais bien contente qu'elle ne prenne pas ma maison pour un hôtel.

Chapitre trente-trois

Cette nuit-là, je dormais à poings fermés quand quelqu'un se glissa entre les draps, me couvrit les pieds et les jambes de petits baisers murmurés, assortis d'une moustache. Il était de retour. Je sentis une moiteur chaude monter en moi.

« C'est toi ? demandai-je.

— Imagine que non, murmura-t-il en mordillant l'intérieur de mes cuisses. Imagine que c'est quelqu'un de totalement différent. »

Sa langue s'insinua en moi.

« Dans ce cas, dis-je, il vaut mieux que tu continues ce que tu es en train de faire, et je te raconterai après. »

Il continua. Mes cris d'extase annoncèrent au monde, du moins à la vallée, qu'il était de retour et que c'était bon.

Allongés dans les bras l'un de l'autre, nous reprenions notre souffle en devisant. Tant de choses s'étaient passées durant sa courte absence. Quand je lui appris que Don Umberto avait explosé dans la boutique du barbier, il n'eut pas l'air surpris.

« Tu vois, je t'avais bien dit de ne pas t'inquiéter.

— Tu savais qu'il allait mourir ? demandai-je.

— Disons seulement que j'avais un pressentiment. »

Il ne fut pas davantage étonné d'apprendre pour Rosario et Biancamaria Ossobucco.

« Je pensais que cela arriverait tôt ou tard, dit-il. On voit bien qu'il est fou amoureux, et elle a besoin que quelqu'un s'occupe d'elle après tout ce qui s'est passé. Tout le monde n'est pas aussi autarcique que toi.

— Je suis autarcique ?

— Je crois, oui. »

Ensuite, je lui dis que signor Rivoli m'avait apporté une assiette commémorative depuis Palerme, sans préciser qu'il voulait m'épouser ; le moment me paraissait mal choisi. Puis je lui parlai d'Aventina Valente, de sa progéniture américaine et de l'hôtel chic qu'ils habitaient à Taormine.

« Et toi, conclus-je, où es-tu allé ?

— Jeter un œil sur mes affaires, je t'ai dit. Je t'ai manqué ?

— Oui. Mais j'avais des tas de choses à faire. J'ai profité que tu n'étais pas dans mes jambes.

— Tu sais que j'adore être dans tes jambes.

— Alors, dis-moi, qu'as-tu fait ?

— Le boulot. Rien d'intéressant. Mais il fallait le faire. »

Voyant sa réticence, je laissai tomber le sujet. Donc, il se mit dans mes jambes une fois de plus et, peu après, alors que je le chevauchais, agrippée à la tête de lit en fer, tout se mit à trembler. Les murs et le sol frémirent, le portrait de la Madone et de l'enfant Jésus pendu au-dessus du lit se décrocha et tomba. Les verres tintèrent dans le buffet, les ustensiles de cuisine s'entrechoquèrent sur les étagères. La pendule se mit à sonner. Dans la cour, les cochons couinaient, les chiens hurlaient à la mort. Puis, soudain, tout s'arrêta et l'Inglese s'exclama :

« Tout beau, ma Rosa, je sais que tu es contente de me voir, mais vas-y plus doucement. »

Sur ces mots, il grimpa sur moi, termina ce que nous avions commencé et, presque aussitôt, s'endormit. Moi, je n'arrivais pas à trouver le sommeil. Je me tournais et me retournais, la tête farcie de mille pensées. Bien sûr, j'étais contente de le revoir. Mais pourquoi refusait-il de me parler de ses affaires ? Je n'ai jamais aimé les mystères, pas plus aujourd'hui qu'en ce temps-là. Après tout, il savait tout de moi, je n'avais pas de secrets pour lui. Pour me calmer, je ne connaissais qu'une seule solution. J'enfilai ma robe en toute hâte et descendis dans la *cucina.*

Mon assiette en argent était tombée du buffet. Je la ramassai, l'astiquai et la remis en place. Un bocal de confiture s'était fracassé par terre. Je nettoyai tout ce gâchis poisseux. Tout compte fait, le tremblement de terre n'avait pas causé de grands dommages, à part quelques pêches abimées et des œufs cassés dans le garde-manger.

J'émiettai un peu de levure dans un bol, ajoutai la quantité exacte d'eau et mélangeai le tout assez longtemps pour dissoudre les grumeaux. Puis je vidai un sac de farine sur la table, creusai un puits au centre et versai la levure diluée en y ajoutant plusieurs poignées de sel de mer. Je mélangeai farine et levure jusqu'à obtention d'un mélange homogène, facile à pétrir. J'aime sentir la pâte dans mes mains, l'odeur de la levure, le geste du pétrissage.

Très vite, je m'enfonçai dans ma petite bulle, sans penser à rien d'autre qu'à repousser la pâte encore et encore, la repliant sur elle-même, l'écrasant sous mes poings, malaxant en rythme, comme sous hypnose. Entre mes doigts, la texture changeait, devenait plus soyeuse, plus lisse, plus élastique. Je mettais toute ma personne dans ce geste, mes jambes robustes solidement plantées en terre, mon dos, mes épaules, mes bras et mes mains puissants. Quand j'eus pétri le temps voulu, ni trop ni trop peu, je plaçai ma pâte dans un grand plat à lever que je posai, couvert d'un linge mouillé, près du four tiède. Puis je m'assis à la table et, d'un doigt rêveur, je traçai des motifs dans la farine éparpillée. J'étais sereine et le monde, le vrai, me paraissait bien lointain. J'entendis des pieds nus marcher sur le dallage. C'était l'Inglese.

« Rosa, il est trois heures du matin. Que fais-tu ?

— Du pain.

— Je vois. Mais tu n'es pas obligée de le faire maintenant, non ?

— Ça m'apaise, voilà tout.

— God bless America. »

C'était Betty qui s'agitait sous le linge qui couvrait sa cage. L'Inglese eut l'air choqué.

« C'est à cause des Américains, expliquai-je. Ils lui ont appris quelques nouveaux mots.

— Bon, explique-moi pourquoi tu as besoin d'être apaisée. Allez, raconte.

— Pourquoi tu ne me dis pas où tu es allé ? Moi je n'ai pas de secrets pour toi.

— Ce n'est pas un secret. Je suis allé à Naples.

— Naples ? Qu'est-ce que tu faisais là-bas ?

— Je ne voulais pas te le dire parce que je pensais que tu ne comprendrais pas. Il y avait un grand tournoi de cartes…

— Un tournoi de cartes ? m'écriai-je. Tu es allé à Naples pour jouer aux cartes ?

— Hot dogs, piailla Betty. Sans oignons.

— C'est vrai que, dit aussi platement, ça semble un peu bête.

— C'est donc cela que tu appelles tes "affaires" ? Les cartes ?

— Oui. Cela et quelques autres choses.

— Comme écrire des livres de cuisine ? »

Il se fendit d'un sourire : « Non, là il s'agit plutôt d'un hobby et d'un stratagème pour aborder les bibliothécaires sexy.

— Je vois. Eh bien, ça vaut mieux que tueur à gages, je présume.

— Tu me prenais pour un assassin ?

— Non, pas vraiment, répondis-je. Un voleur de bijoux, peut-être, ou un espion.

— Malheureusement, la vérité est bien moins exotique.

— Et tu gagnes toujours ? Aux cartes je veux dire ?

— Non, pas toujours. Personne ne gagne tout le temps.

— Alors quoi ?

— Alors, on se console dans les bras d'une belle femme, dit-il en m'enlevant ma robe. Tu connais le vieux dicton : malheureux au jeu, heureux en amour…

— Chicago Bears », hurla Betty.

INSALATA

(Salade)

Chapitre trente-quatre

Ainsi donc, j'avais découvert que l'Inglese gagnait sa vie en jouant aux cartes. Occupation fort étrange, à mon goût, et tout sauf sérieuse. Mais tout le monde ne peut pas être fermier. Au moins, je savais la vérité. Il ne me cachait plus rien. Il y a sans doute un certain prestige dans le métier de flambeur. Pour ma part, je préfère cultiver mes légumes, élever mes cochons et pétrir mon pain.

Comme c'était dimanche, j'ai préparé un petit déjeuner spécial. En plus du trio pain-fromage-olives, j'ai fait frire des quantités de beignets à la ricotta. À se pourlécher les babines, je dois dire. Pour faire une pâte à beignets, mélangez à la farine du bicarbonate de soude, du sucre, des œufs frais et de la ricotta, avec une goutte de lait si nécessaire pour affiner la mixture. Faites chauffer de l'huile à haute température puis jetez-y des cuillerées de pâte en prenant soin de ne pas vous éclabousser. Ça brûle. Quand les beignets sont gonflés et ont pris une belle couleur caramel, retirez-les au moyen d'une écumoire, séchez-les sur un linge avant de les rouler dans du sucre.

Tout en savourant les beignets, les ouvriers parlèrent un peu du tremblement de terre, phénomène si courant chez nous que nous n'y faisons guère attention. Tout ce qui les intéressait, c'était le retour de l'Inglese.

« Ils font un roulement, marmonna Gaddo. Demain, ce sera le tour du nain. Tu vas voir si j'ai pas raison.

— Ce grand-là est plus de sa taille, pas comme le nabot, ajouta Aulo. Rosa est une grande fille. Elle a toujours été grande.

— Moi j'aime ni l'un ni l'autre. C'est rien que des étrangers, trancha Luciano. Le jeune Mauro, voilà un homme pour elle, mais elle le voit pas. »

Mauro ne dit rien, totalement absorbé dans la dégustation de son petit déjeuner.

Heureusement, les hommes parlaient avec un tel accent que l'Inglese ne comprenait pas la moitié de ce qu'ils racontaient.

Plus tard, quand l'autobus arriva, les Américains s'avouèrent fort déçus de ne pas avoir senti le tremblement de terre dans leur hôtel de luxe, à Taormine.

Aventina Valente portait une robe trop petite pour elle et ses filles des shorts. Des shorts ! Pour sûr, nous n'avions jamais rien vu de tel. La cour fut bientôt remplie d'ouvriers qui, ne travaillant pas puisqu'on était dimanche, se frottaient les mains devant un si curieux spectacle.

La petite troupe comptait visiter le volcan dans l'espoir d'assister à une éruption, fût-ce une toute petite. Ils avaient fait le détour jusqu'à la *fattoria* pour prendre Mauro. Mauro ! Ayant grandi sur les flancs du volcan, il allait leur montrer les coulées de lave, les cratères et, si possible, le sommet du cône. La rumeur disait que le côté sud du volcan était touché par les explosions et, comme c'était là que se trouvait sa maison natale, ils passeraient voir sa mère. Sa mère ! Il prétend m'aimer mais jamais il ne m'a proposé d'aller voir sa mère. Je ressentis un pincement de jalousie inexplicable. Cela étant, il faisait ce qu'il voulait de son jour de repos. Je n'avais rien à y redire.

À peine eut-elle posé les yeux sur l'Inglese qu'Aventina Valente lui sauta dessus comme une araignée fondant sur une mouche juteuse, emprisonnée au centre de sa toile. Elle se mit à le tâter, à le coller, à papillonner des paupières tout en lui roucoulant des mots d'anglais. Moi, bien sûr, je n'y comprenais rien. Ils semblaient se connaître, ce qui me ramena à l'époque de la mort de Mamma, quand Luigi était encore en vie et qu'il avait débarqué pour les funérailles, avec sa serveuse. Luigi avait dit que l'Inglese n'était pas quelqu'un pour moi. Je m'en souvenais parfaitement, je l'avais cru et pourtant, dans mon cœur, je n'avais jamais abandonné l'espoir de le revoir.

« As-tu déjà rencontré Aventina Valente ? lui demandai-je plus tard.

— Je ne crois pas, répondit-il. Quelle femme épouvantable, hein ? »

Je suis sûre qu'il a dit cela.

Ainsi donc, le petit groupe d'explorateurs de volcans prit place dans le bus. Ils étaient sur le point de démarrer quand je me suis précipitée dans la *cucina* pour réapparaître quelques secondes après, avec un panier garni. J'y avais regroupé tout ce qui m'était tombé sous la main : une bouteille de vin, des tranches de pain, un morceau de saucisse, les beignets qui restaient et quelques abricots, pêches et prunes. Je fis passer le tout à Mauro par la vitre.

On me répondit que j'étais bien gentille et qu'ils appréciaient mon geste mais que ce pique-nique ne suffirait pas à sustenter tout le monde. Ne pouvais-je y rajouter de ceci ou de cela ?

« Pique-nique ! rétorquai-je, outrée. Sois gentil et explique-leur que ce n'est pas un pique-nique. »

Bien sûr que ce n'était pas un pique-nique. Il est de tradition chez nous de faire une offrande au volcan en colère. Par ce don de nourriture, nous espérons que sa prochaine éruption ne sera pas trop dévastatrice. Ces Américains ! Ne connaissaient-ils vraiment rien à nos coutumes ?

Comme l'autobus s'éloignait, l'Inglese me dit :

« J'aurais bien aimé y aller. Pour voir le volcan de près. Ça m'a l'air divertissant. »

Cette remarque ne fit qu'attiser mon courroux.

Pourtant, je n'avais pas le temps de m'énerver. Il me restait tant de choses à préparer pour la noce. Biancamaria Ossobucco m'avait fait parvenir une caisse de poulets pour cuisiner du *Pollo alla Messinese*, de tradition lors des mariages. Durant les jours sombres qui suivirent le meurtre de Bartolomeo, j'en avais cuisiné des quantités astronomiques. Comme Nancy et Ivy avaient lâché les poulets dans la cour, je dus leur courir après pour les enfermer dans le poulailler avant de pouvoir leur tordre le coup et les plumer.

J'ignorais que l'Inglese avait peur des poulets. Une phobie, comme il disait. Quand il les vit détaler en tous sens, caquetant et gloussant à qui mieux mieux, il fut pris de panique. Il faisait des bonds et gloussait avec tant de conviction qu'on l'eût pris pour une volaille, lui aussi. C'était tellement désopilant que je partis d'un fou rire, bientôt imitée par les ouvriers qui s'étaient gardés de trop s'éloigner, prévoyant d'autres divertissements.

« S'il n'y en a pas beaucoup, ça peut aller, expliqua-t-il plus tard d'un air un peu piteux. C'est juste que je déteste quand ils m'entourent. »

Prétextant une affaire à traiter en ville, il s'en alla. Je rassemblai les derniers volatiles, regagnai la *cucina* et m'attaquai au gâteau de mariage. Ce serait le plus gros biscuit de ma carrière. Je m'étais réservé le reste de la journée pour le réaliser et préparer les sujets de *pasta reale* représentant les mariés. Je suis célèbre dans toute la région pour mes figurines en pâte d'amande, toujours très ressemblantes. J'espérais pouvoir m'y consacrer sans interruptions intempestives.

Les êtres humains me laissèrent tranquille ; en revanche, pendant le reste de la matinée et le début de l'après-midi, le volcan se comporta bizarrement. Sans doute pour ne pas décevoir Aventina Valente et sa délégation. Il vomissait de la fumée. Cela n'avait rien d'anormal, à ceci près que cette fumée était verte. En outre, il secouait le sol à intervalles réguliers, comme un géant pris d'une crise de hoquet. J'en vins à redouter un nouveau glissement de terrain, chose courante en cas d'agitation sismique.

À part cela, tout était calme. Le silence planait sur la *cucina,* parfois entrecoupé par le futile bavardage de Betty. Le perroquet avait si bien étendu son répertoire qu'il pouvait dire des choses comme :

« Donuts. »

« French fries. »

Et bien sûr « God bless America. »

Je m'appliquais à reproduire le visage de Rosario – je le fis d'autant plus ressemblant qu'il suffisait de me regarder dans une glace pour préciser les traits dont je n'étais pas sûre – quand Gaddo déboula avec des nouvelles. Les coulées de lave menaçaient Nicolosi ; elles avançaient si vite qu'on était en train d'évacuer les quartiers se trouvant sur son chemin. Tous ceux qui connaissent la géographie de notre région savent que le village de Saluci est très proche de la ville de Nicolosi. La petite ferme de la mère de Mauro risquait d'être touchée. Les Américains voulaient voir une éruption, eh bien leur vœu était exaucé, semblait-il.

J'étais tellement absorbée dans mon travail qu'après avoir terminé Rosario et modelé une Biancamaria Ossobucco plus vraie que nature, peau grêlée comprise, je continuai sur mon élan. Je confectionnai les triplettes avec leurs petites robes jaune vif et j'allais me lancer dans un autoportrait quand je songeai au reste du cortège. Je ne pouvais pas me représenter moi-même et laisser de côté les figures imposantes d'Aventina Valente, de ses filles, de Nancy et d'Ivy. Mais pour mener à bien cette entreprise, il me fallait d'autres pains de pâte d'amandes. Comme aurait dit l'Inglese : « Pourquoi pas ? » Sculpter Aventina Valente m'amusa énormément. Je ne me privai pas de l'affubler d'une gigantesque choucroute, d'un corps énorme engoncé dans des vêtements minuscules ; j'ajoutai même les faux cils arachnéens dont elle se garnissait les paupières.

Pour ses filles, je dus aller prendre un autre sac d'amandes dans le garde-manger. Je m'apprêtais à pousser la porte quand j'entendis des bruits bizarres derrière : des coups mats, des gémissements, des grognements. Aussitôt je pensai au ragondin qui avait élu domicile dans le cellier de ma belle-sœur Pervinca. Aurait-il investi mon propre garde-manger ? Quand j'ouvris le battant à la volée, je ne trouvai pas de ragondin. Non, je tombai sur Aventina Valente et l'Inglese.

Ils sursautèrent et s'éloignèrent prestement l'un de l'autre, mais une seconde auparavant, je suis certaine de les avoir vus étroitement enlacés, malgré l'obscurité et le contraste avec la lumière du dehors. Quel choc ! Mon cœur s'arrêta. Quand j'entre dans mon garde-manger, je ne m'attends pas à trouver des gens à l'intérieur, et encore moins mon amant et Aventina Valente. Ils étaient débraillés, c'est-à-dire à moitié dévêtus. L'Inglese avait le pantalon sur les hanches, sa chemise était dégrafée et je crois bien avoir aperçu son membre, pourpre et vaillant, avant qu'il rabatte précipitamment les pans de sa chemise par-dessus. Aventina Valente était pour ainsi dire nue. Sa robe trop serrée avait disparu, libérant ses gros seins. Un spectacle proprement ahurissant.

« Mais je te croyais en ville, ai-je balbutié. Et elle, je l'ai vue partir en autobus pour le volcan. Comment avez-vous fait pour revenir et vous cacher dans le garde-manger… ?

— Rosa, je vais t'expliquer », me coupa-t-il.

Elle gloussa.

« Nous avions très faim. Voilà. C'est ça. Nous avions faim et comme tu as des tas de… sacs d'amandes ici, on s'est dit qu'on pourrait t'en prendre un peu. Alors on est revenus et… voilà. C'est pas plus compliqué que ça, je te le jure…

— Et vos vêtements ? Que leur est-il arrivé ?

— Eh bien, il faisait chaud, très chaud… alors on les a enlevés pour ne pas suffoquer.

— Hot, hurla Betty au loin. Hot, very hot. »

Le cri du perroquet me tira de ma torpeur. C'était encore l'un de mes fantasmes ridicules. Honnêtement ! L'Inglese et Aventina Valente. Quelle idée ! Parfois, mon esprit me jouait des tours pendables. Je n'avais aucun contrôle sur lui. À cause de la chaleur, probablement. Betty avait raison. J'étais peut-être déshydratée. Je pris un grand verre d'eau fraîche et me remis à broyer quelques amandes supplémentaires avec mon pilon. C'était un travail pénible par cette température. L'air était immobile, le silence total. Je reniflais les effluves qui montaient de ma chair moite ; je sentais la sueur jaillir de mes pores irrités, ruisseler sous mes vêtements.

Dès que j'eus réduit les amandes en poudre, je les mélangeai avec du sucre, des jaunes d'œufs et quelques gouttes d'eau de rose pour éviter qu'elles crachent leur huile. J'obtins une pâte lisse, onctueuse mais pas trop collante que je divisai pour en colorer une partie en rose pour la chair, une autre en jaune vif pour les robes. Une petite quantité resta au fond du bol, recouverte d'un linge humide. Je l'utiliserais par la suite, pour fignoler les détails comme les cheveux ou les fleurs.

Je visualisais relativement bien l'aspect général des quatre grosses Américaines mais pas les détails. Je choisis donc de créer des genres de tonneaux vêtus de robes jaunes ridiculement courtes. On ne pouvait pas ne pas les reconnaître. Je ne voyais pas le temps passer. En fin d'après-midi, je disposai tout mon cheptel sur le gâteau : les mariés, les triplettes, moi-même, Aventina Valente, les quatre grosses Américaines, Nancy et Ivy. Je me fis un dernier petit plaisir en modelant le mulet Carciofo. Je pense avoir bien réussi son pelage gris. On avait même l'impression que de la poussière en sortirait si jamais on lui flattait l'encolure. Le gâteau était gigantesque mais les personnages en massepain remplissaient presque tout l'espace disponible. Je me demandais si je ne devais pas y inclure Mauro. Il était garçon d'honneur, après tout. Pourtant je ne parvenais pas à m'y résoudre.

Mauro est tellement grand que son personnage aurait nécessité une grande quantité d'amandes broyées. Et si je le mettais sur le gâteau, pourquoi ne pas représenter aussi l'Inglese ? Il ne tenait pas de rôle officiel dans la cérémonie mais je ne voulais pas qu'il se sente exclu. Tout en pesant le pour et le contre, je lavai mes mains huileuses, les séchai sur mon tablier sans quitter des yeux mon œuvre d'art – je n'en avais jamais réalisé de plus belle. C'est alors que j'entendis approcher l'autobus brinquebalant.

Dès qu'il s'arrêta dans la cour, je constatai les changements. Sa couleur d'abord : il n'était plus blanc mais noirâtre. Des trous criblaient le métal de la carrosserie, plusieurs vitres étaient brisées et il penchait d'un côté, comme si ses roues n'étaient pas toutes à la même hauteur.

Quand les randonneurs en émergèrent, je n'en crus pas mes yeux !

D'un pas chancelant, Aventina Valente descendit les marches et me tomba dans les bras en sanglotant. Émanait d'elle une odeur puissante rappelant le jambon que je viens de fumer. Elle était gris foncé de la tête aux pieds mais le plus remarquable chez elle, c'était ses cheveux. En fait, ils avaient disparu. Elle était presque entièrement chauve, à part quelques mèches égarées, dressées comme des cure-pipe. Apparemment, elle avait reçu une boule ardente sur la tête. On avait bien tenté d'étouffer les étincelles mais, encouragé par les tonnes de laque qu'elle utilisait pour faire tenir sa choucroute, le feu avait rapidement progressé jusqu'à son cuir chevelu. Ses faux cils eux aussi avaient brûlé ; ils pendaient comme des araignées mortes, accrochées d'une patte à ses paupières. Avec ses vêtements en lambeaux, elle faisait vraiment peine à voir. Malgré mon antipathie, je ressentis le début d'une ombre de pitié.

Les autres membres de l'expédition étaient pareillement dépenaillés. Gargantubrad avait perdu son appareil photo en se penchant au-dessus du cratère, ses grosses chaussures de sport avaient presque fondu. Ses pieds étaient écorchés et l'odeur de caoutchouc brûlé qui se dégageait de sa personne était si épouvantable qu'elle donnait la nausée. Patty May avait perdu l'une de ses grandes incisives, ce qui lui faisait une tête très bizarre. Sandra Ann et Betty Jean étaient couvertes de bandages et l'épaisse couche de cendres qui collait à la peau et aux cheveux de Liza Lu formait une sorte de croûte durcie. Les enfants braillaient qu'ils voulaient rentrer chez eux à Chicago. Mauro n'était pas là.

Conformément à leur souhait, ils avaient eu tout loisir d'observer le volcan dans toute sa splendeur mais d'un peu trop près, visiblement. Alertés, les ouvriers agricoles se rassemblèrent dans la cour pour assister à ce nouveau spectacle. Ils restèrent à les regarder bouche bée jusqu'à ce que je leur dise de décamper.

Je les aurais bien aidés, dans la mesure de mes possibilités, mais ils insistèrent pour partir ; ils avaient hâte de regagner leur hôtel à Taormine pour se doucher, se changer et bien sûr, se restaurer copieusement. Aventina ne pouvait rien faire avant d'avoir trouvé une perruque, soit chez un loueur de costumes de théâtre soit dans une boutique chic. Faute de quoi, elle se contenterait d'un chapeau. Patty May avait l'intention de faire venir son dentiste de Chicago pour qu'il lui recolle sa dent avant le mariage. Ils avaient juste fait un crochet pour m'annoncer qu'ils avaient perdu Mauro en cours de route et que ce dernier était devenu un héros local.

Il avait secouru des survivants perchés sur les toits, construit des barrières de fortune pour arrêter la coulée de lave, conduit les troupeaux – chèvres, brebis, cochons et même mules – à l'abri. Brad avait tout pris en photo mais hélas son appareil gisait à présent au fond du cratère.

Au milieu de cette volière, une carriole fit irruption dans la cour, tirée par la mule Dolores, la bête de concours. L'Inglese tenait les rênes, chose étrange car les gens d'ici sont très attachés à leurs mules. J'avais donc un certain mal à comprendre pourquoi Licurgo Pastore aurait confié Dolores à l'Inglese qu'il connaissait à peine.

La carriole regorgeait de marchandises en tous genres. Je m'avançais à la rencontre de l'Inglese quand Aventina Valente tourna les talons, sauta à bord de l'autobus et se cacha sous un siège en rappelant ses troupes d'une voix impérieuse. Elle abreuva le chauffeur d'invectives exagérées jusqu'à ce qu'il démarre. Je soupçonnai qu'elle n'avait pas envie d'être vue dans cet état.

Chapitre trente-cinq

« Ils ont l'air pressé, nota l'Inglese comme l'autobus s'en allait dans un grand bruit de ferraille, assorti de grincements stridents et d'horribles bouffées de gaz d'échappement.

— Oui. Ils ont brûlé vifs sur le volcan. C'est quoi tout cela ? ajoutai-je en désignant les objets qu'il transportait. Pourquoi as-tu pris Dolores ? »

Il entreprit de me passer son chargement. En tout premier, une brassée de belles roses rouges, enveloppées dans le papier de chez *Fiori Folli*.

« Pour toi, mon cœur », dit-il.

De ma vie, personne ne m'avait jamais offert de fleurs. Je restai plantée là comme une imbécile, à les contempler. D'un rouge foncé tendant vers le pourpre, elles étaient douces au toucher, comme du velours ou comme une peau de pêche ou comme des joues de bébé. Leurs pétales s'enroulaient harmonieusement les uns dans les autres. Leur parfum capiteux évoquait l'essence de rose. Malgré moi, mes yeux s'emplirent de larmes. Chaque fois que je repense à cette scène, je revois les roses parfaites que je reçus en cadeau le jour de l'éruption.

À part cela, la carriole contenait un incroyable bric-à-brac : un fauteuil en velours rose bonbon, un orgue de Barbarie, un hamac de marin, une poupée de ventriloque, des papillons poussiéreux sous un globe de verre, une caisse de médicaments et une perruque brune aux mèches lisses et brillantes.

« Est-ce la perruque du Padre Buonaventura ? demandai-je. Elle y ressemble beaucoup. »

Posés là au milieu de la cour, les objets paraissaient plus étranges encore.

Avant de descendre de la carriole, l'Inglese jeta un regard prudent autour de lui.

« Les poulets sont-ils toujours en liberté ?

— Non, répondis-je. N'aie pas peur des poulets. Nous les mangerons en mayonnaise très bientôt. Maintenant, dis-moi à quoi sert tout cela.

— Ne t'inquiète pas, signorina. J'ai joué aux cartes, c'est tout.

— Pas la mule, répliquai-je. Tu ne vas quand même pas garder la mule de Licurgo Pastore ?

— Peut-être que si.

— Mais ça va lui briser le cœur. »

Il donna une bonne tape sur le flanc de la bête. Un nuage de poussière bleue s'éleva dans l'air. L'Inglese toussa, se secoua les cheveux et dit :

« Non, tu as raison, dit-il, elle est mignonne mais très sale. Je vais la lui rendre. »

J'ai porté le bouquet dans la *cucina* pour le mettre dans l'eau, encore que trouver un récipient tenant lieu de vase ne fût pas une mince affaire. Chez nous, les fleurs ne sont pas des objets d'ornement. Ne trouvant rien de plus grand, j'ai fini par les disposer dans une haute cruche en grès. C'était un peu rustique mais ça faisait son petit effet.

L'Inglese escalada les marches avec le fauteuil sur la tête, comme une tortue rose. Le seul endroit disponible pour l'accueillir était le salon. Il était si neuf, si coloré que les autres meubles semblaient ternes à côté. C'était trop chic pour la *fattoria.* Aucun meuble neuf n'était entré dans cette maison depuis ma naissance. Mais le fantôme de Mamma s'en enticha et l'adopta comme sien. Si quelqu'un d'autre s'y asseyait, il se retrouvait aussitôt le cul sur le pavage du salon.

Le globe aux papillons et son feuillage miteux atterrirent sur le couvercle du grand coffre en chêne qui dormait là depuis l'Inquisition. Très vite, il se fondit dans le décor et nous parut familier.

Enchanté par ses acquisitions, l'Inglese s'éclipsa avec la perruque et les médicaments.

Quand il revint dans la *cucina,* il admira mes roses puis mon gâteau puis mes roses puis mon gâteau. Il me semble qu'à ce moment-là je me suis demandé ce qui était arrivé à Mauro. Ou peut-être était-ce plus tard. En tout cas, je suis sûre d'avoir entendu des mulets braire à l'extérieur. Ce n'était pas un braiment ordinaire mais plutôt une mélodie ; les bêtes unissaient leurs voix comme dans un chœur.

Jetant un coup d'œil par la porte ouverte, je vis Carciofo et Dolores dans la cour, occupés à frotter leurs doux museaux pâles. Dans le soleil couchant, la rosette du grand prix lançait des éclairs cramoisis sur le licol de Dolores. Les deux mulets chantaient un duo en se regardant au fond des yeux.

De l'autre côté de la cour, Rosario n'en perdait pas une miette. Il dit :

« C'est dans l'air. »

Je demandai :

« Qu'est-ce qui est dans l'air ? »

Et il répondit :

« L'amour. Tu sais bien. L'amour. »

J'imagine qu'il avait raison. Je lui demandai s'il voulait bien ramener Dolores à Licurgo Pastone et, comme il devait passer en ville de toute façon, d'emporter le précieux gâteau dans sa charrette. En le voyant, il fondit en larmes car il a un grand cœur, et le gâteau était magnifique – sans fausse modestie. Nous tombâmes dans les bras l'un de l'autre. Puis l'une de mes marmites en cuivre atterrit sur sa tête, sans doute balancée par Mamma qui lui avait toujours interdit de me toucher. Même morte elle veillait à ce qu'on respecte sa volonté. Nous descendîmes le gâteau et, une fois posé dans la charrette, nous le calâmes soigneusement avec de la paille afin qu'il ne s'abîme pas durant le trajet. Lorsque Rosario et les deux mulets passèrent le portail, le ciel rougeoyait derrière eux. En voyant ces trois silhouettes se dessiner sur fond de colère volcanique, je ressentis une étrange et inexplicable mélancolie.

Plus tard, après la tombée de la nuit, j'entendis l'Inglese m'appeler depuis ma chambre, à l'étage. Quand je poussai la porte, il y avait des bougies partout. Il m'attendait au fond de la pièce, près du lit couvert de pétales de roses. Leur parfum remplissait tout l'espace. C'était beau à couper le souffle.

Je dis :

« Tu n'as quand même pas effeuillé mes roses, n'est-ce pas ? »

Un peu désappointé, il répondit :

« Ne sois pas si terre à terre, signorina. Non, je n'ai pas touché à tes fleurs. J'en avais mis quelques-unes de côté pour te faire un lit de roses.

— Je suis désolée, bredouillai-je en réalisant ma bêtise. Oui, j'ai parfois tendance à être un peu terre à terre. Je vais faire un effort. »

Mes vêtements s'envolèrent, l'Inglese me souleva de terre et voulut m'allonger sur la couche odorante. Comme il n'y arrivait pas, étant donné mon poids, il me laissa choir comme un sac et se redressa en se tenant les reins :

« Merde, je me suis esquinté le dos.

— Et c'est moi qui manque de romantisme ? »

Force était de constater que les choses ne se passent jamais comme dans les films. Nous rîmes de bon cœur puis nous nous mîmes au lit. S'en dégageait un parfum capiteux. Sur ma peau, les pétales de roses glissaient dans une caresse veloutée. L'Inglese s'allongea sur moi. Et, toujours en riant, nous échangeâmes les baisers et les petites morsures de la passion. Puis il dispersa d'autres pétales encore, composant sur ma chair de jolis mots d'amour. Humide et languissante, mes roucoulements allaient crescendo. Toute la vallée dut en profiter. J'étais à mille lieues de m'en apercevoir ; m'en serais-je aperçu que cela ne m'aurait fait ni chaud ni froid.

Plus tard, nous étions étendus dans la moiteur embaumée de ma chambre, en nage, le souffle court. Les bougies s'étaient consumées, les pétales de rose avaient flétri, passant du rouge au brun. Nous dûmes tomber dans un sommeil aussi profond qu'odorant. Tout à coup, un bruit me fit sursauter. Non sans regrets, je nageai vers la surface, traversant les couches aromatiques comme un pêcheur de perles remontant son précieux butin. L'oreille aux aguets, je perçus le ronronnement d'un moteur. Aussitôt, je craignis le pire car un moteur en pleine nuit demeure chose rare, par ici. Sur mes lèvres, je sentis le goût du soufre. Dans le noir, j'entendais le souffle régulier de l'Inglese. Pour ne pas le réveiller, je cherchai ma robe à tâtons et je sortis voir ce qui se passait.

Chapitre trente-six

Dans la lumière aveuglante des phares, des nuées d'insectes nocturnes s'affolaient. Mauro tenait le volant d'un camion bizarre. Sa tête couverte de bandages et de suie apparut à la portière.

« J'ai amené ma Mamma, dit-il en désignant du menton l'intérieur de la cabine, invisible à mes yeux. Ils ont évacué tout le village, les coulées de lave se rapprochent trop ». Il parlait d'une voix étrangement rauque.

« Est-elle blessée ? Tu veux la faire entrer dans la maison ?

— Non, elle va bien. Fatiguée, c'est tout. Quand je suis arrivé, elle était perchée sur le toit du poulailler. Il y avait des gaz toxiques, beaucoup de fumée. Je vais l'installer chez moi pour m'occuper d'elle.

— Je vous accompagne », dis-je. Et joignant le geste à la parole, je grimpai sur le marchepied du camion pour faire le trajet avec eux, accrochée au rebord de la fenêtre ouverte.

Mauro traversa la cour, dépassa la porcherie et s'engagea sur le sentier qui mène aux habitations et aux bâtiments agricoles reconvertis en logements qu'il partage avec Rosario et d'autres ouvriers. J'avais l'impression d'être agrippée à la nacelle d'un manège à sensations, genre montagnes russes. Malheureusement, je n'avais pas pris le temps d'enfiler un soutien-gorge et une culotte. Cela dit, on n'y voyait goutte. Dans la cabine, j'aperçus vaguement une silhouette recroquevillée sur le siège, près de Mauro. Ce dernier avait les mains bandées, les vêtements déchirés et il sentait le fauve.

« Ils balancent des blocs de béton, dit-il. Je ne sais pas s'ils vont réussir à détourner la plus grosse coulée. En tout cas, ça va mal, là-bas. J'ai jamais vu ça.

— Les Américains disent que tu es un héros, fis-je.

— Non, répondit-il d'un ton modeste, j'ai juste donné un coup de main par-ci par-là. Ils vont bien ?

— Je crois que le spectacle a dépassé leurs plus folles espérances. Aventina Valente a les cheveux cramés. À part cela, elle va bien. Elle cherche un perruquier à Taormine. Le gros Brad a perdu son appareil photo et ses chaussures de sport sont fichues. Mais personne n'est blessé. »

Il s'arrêta devant l'ancien grenier à blé. En sautant de mon perchoir, je faillis me tordre la cheville. J'ai tendance à me croire aussi agile qu'autrefois mais mon corps n'est pas du même avis. Mauro descendit en esquissant une grimace. Ses bottes n'étaient plus que des lambeaux de cuir noirci laissant entrevoir ses pieds cruellement brûlés.

Il prit sa Mamma dans ses bras et la porta jusque chez lui avec autant de délicatesse qu'un vase en porcelaine fine. C'était une femme minuscule, coiffée d'une masse de cheveux blancs vaporeux, pareils à de la barbe à papa. Avec son visage brun, sa robe et son gilet noirs, elle me rappela ma propre mère. Il l'allongea doucement sur le lit où elle s'endormit. Nous restâmes à la regarder comme si nous surveillions ensemble le sommeil d'un bébé.

Je n'étais plus entrée dans le vieux grenier depuis que Mauro y avait emménagé. Tout était propre et bien rangé. Il s'était procuré des meubles et autres ustensiles. On aurait cru une maison de poupées.

Il avait l'air vanné. Son visage habituellement tanné avait adopté la couleur de la cendre. Tassé par l'effort et la fatigue, son corps imposant semblait amoindri. Je remarquai une photo de moi, sur une étagère. J'étais incapable de dire où et quand elle avait été prise mais elle m'avantageait.

« Où as-tu trouvé cela ? » demandai-je.

Il haussa les épaules comme un jeune homme timide, sans répondre.

« Tu veux que je t'apporte à manger ? Je peux me dépêcher de retourner à la cuisine…

— Merci. Je n'ai pas faim. Juste soif. »

Il prit un pichet, remplit une grande tasse et but jusqu'à la dernière goutte. Un peu d'eau ruissela sur son menton et sa poitrine noircie, comme des perles de verre dans une forêt de poils. Il s'essuya la bouche du revers de sa main bandée. « Tu en veux ? »

Je refusai d'un hochement de tête.

« Et ta Mamma ? Elle voudra manger quelque chose ?

— Je ne pense pas. Mais j'ai de quoi la nourrir si elle se réveille. »

Nous nous tenions au milieu de la pièce. Tout près l'un de l'autre.

« Tu sens merveilleusement bon, dit-il en respirant à fond. Je suis désolé d'être aussi sale. Après toute cette fumée, ces odeurs de brûlé, de soufre, la poussière et les troupeaux de chèvres puantes, j'ai l'impression de me retrouver dans un jardin de roses. » Puis il ajouta : « Un jardin de roses où on se serait beaucoup envoyé en l'air. »

Je sentis mon visage s'empourprer. J'étais un peu choquée. Comment avait-il pu deviner ? Comment osait-il évoquer ces choses-là ? Ses paroles restèrent suspendues dans la pièce, laissant un silence embarrassé.

« Je vais y aller, m'écriai-je soudain. Tu dois te reposer. Si je peux faire quoi que ce soit… »

Il me regarda partir. J'ignore pourquoi mais je me sentais mal. Dehors, il faisait sombre. Grâce à la lumière diffuse émanant du volcan, je pus retrouver le chemin de la *fattoria*. Comme d'habitude, les moustiques m'avaient repérée. Ils atterrirent en piqué sur mes jambes nues pour y plonger leurs redoutables aiguillons. De retour dans la *cucina*, je ressentis l'envie pressante de préparer une fournée de biscuits à l'anis. Cela faisait bien longtemps que cela ne m'était pas arrivé.

Chapitre trente-sept

La veille du mariage.

Le lendemain matin, en me réveillant, je me demandai si je n'avais pas rêvé toute cette histoire : le lit de pétales de roses, la conversation nocturne avec Mauro. Les pétales avaient fané mais ils étaient bien là, preuve que la première partie de la soirée, au moins, n'était pas le fruit de mes fantasmes. L'Inglese dormait encore à poings fermés. J'avais l'impression d'avoir raté l'heure, à cause des événements de la nuit. En plus, il me restait des tas de choses à faire avant la cérémonie.

Laissant l'Inglese dans les bras de Morphée, je m'habillai et descendis à la *cucina* préparer un petit déjeuner destiné à la mère de Mauro. Je me sentais étrangement attirée par cette femme qui possédait sans doute les clés de mon passé fermé à double tour. J'ignorais, en ce matin couleur de cendres, qu'elle me deviendrait plus chère que ma propre mère. Mais là, j'anticipe encore. En me voyant passer devant la porcherie, les cochons alignés crurent que je venais les nourrir. Mais comme je ne transportais pas l'habituel baquet fumant et ne bifurquais pas pour entrer chez eux, ils manifestèrent leur contrariété en grognant et couinant à qui mieux mieux ; on aurait dit qu'ils me lançaient des imprécations et autres malédictions porcines.

En arrivant près des fermettes, je tombai sur Rosario qui dansait, je le jure. Son sourire béat s'étirait d'une oreille à l'autre. Il chantonnait :

« Encore un dodo, Rosa. Encore un dodo et elle sera mienne à jamais. »

C'était à se demander s'il n'avait pas fait semblant d'être sain d'esprit pendant quelques jours, avant de redevenir le débile que nous avions toujours connu. Pourvu que cette histoire ne tourne pas au désastre.

Quand j'entrai avec mon plateau-repas dans l'ancien grenier à blé, il était trop tard. Mauro et sa Mamma étaient déjà attablés autour du petit déjeuner. Devant eux, il y avait du pain frais qui sentait presque aussi bon que le mien, un pot de miel, un morceau de jambon et un cruchon de café chaud dont le délicieux arôme chatouilla mes narines. Je me sentais de trop.

Tout était impeccable, dans la pièce ; Mauro et sa mère avaient mis des vêtements propres, ce qui formait un énorme contraste par rapport à la nuit précédente.

En me voyant, la minuscule Mamma se leva d'un bond et se jeta à mon cou. Elle m'accueillit aussi chaleureusement que si j'étais sa propre fille, ne cessant de m'appeler par mon petit nom. Au bout de quelques minutes à ce régime, j'eus l'impression d'avoir passé ma vie à ses côtés.

« Rosa, dit-elle en m'attirant vers elle, tu es la fille que je n'ai jamais eue. Filippo parlait si souvent de toi que je te connais par cœur. Tu sais comment sont les hommes. Personne ne cuisine aussi bien que leur mère. Eh bien, avec ton papa c'était l'inverse. Il disait : “Magnolia, tu fais très bien les *polpettine*, mais ma Rosa les fait encore mieux que toi ; quand j'y pense, j'en ai l'eau à la bouche”.

— Pourquoi ne m'a-t-il jamais fait savoir qu'il était vivant ? m'indignai-je. J'y ai réfléchi des centaines de fois et je n'arrive pas à comprendre. Pourquoi ? »

Elle me tapota la joue avec sa main de poupée.

« Tu sais, Rosa, je ne comprenais pas moi non plus. C'était notre seul sujet de désaccord. Je crois qu'il avait peur. Je ne vois pas d'autre raison. Plus le temps passait plus c'était dur pour lui. Il n'arrivait pas à s'y résoudre, pas après toutes ces années, pas après ce qu'il avait fait. Il avait surtout peur que tu lui tournes le dos.

— Mais je n'aurais jamais fait ça. »

Je pleurais, à présent. Elle prit mes mains de géante entre ses menottes.

« Je sais bien que tu n'aurais pas fait ça. Tu as le cœur tendre.

— Pas du tout, Mamma, l'interrompit Mauro. Son cœur est dur comme la pierre.

— Mon fils, répliqua-t-elle avec autorité. Verse le café. Laisse-nous parler entre femmes et occupe-toi du petit déjeuner. »

Mauro s'exécuta. Il me servit une tasse de café bien fort. Un délice, je tiens à le préciser car faire du bon café n'est pas donné à tout le monde.

Donna Magnolia se tourna vers moi.

« Rosa, quand on vieillit, on devient peureux. C'est difficile à comprendre pour vous, les jeunes.

— Je ne suis pas jeune, répondis-je. J'ai quarante-sept ans.

— C'est bien ce que je dis, répliqua-t-elle. Lorsque Mauro est né, j'en avais déjà cinquante. »

Quand j'eus terminé mon café, Donna Magnolia prit ma tasse et la retourna dans la soucoupe.

« Je ne crois pas à ces choses-là, l'avertis-je pendant que nous attendions que le marc se dépose.

— Moi non plus, fit-elle. Bon, voyons ce que nous dit le marc de café. »

Elle étudia le dépôt si longuement et avec une telle concentration que, sans toutefois y croire, je finis par penser qu'elle hésitait à m'annoncer une mauvaise nouvelle.

« Je vois un mariage. Un mariage brisé, dit-elle enfin.

— Mon père se marie demain, répondis-je. Mon vrai père, je veux dire. C'est un simple d'esprit et il épouse ma belle-sœur, mais il ne s'agit sûrement pas de cela.

— Je vois de la confusion, poursuivit-elle.

— Ça, pour être confus, il l'est, répliquai-je. Son cerveau est mou comme du fromage blanc mais dès qu'il est question de Biancamaria Ossobucco, il devient presque normal.

— Quand cesse la confusion, je vois un grand bonheur.

— Tant mieux. J'ai tellement envie qu'ils soient heureux. Je me sens responsable d'eux, dans un sens. Un peu comme des enfants.

— Et un bébé. Un beau bébé joufflu. Un bébé avec toutes ses dents.

— Évidemment, ils auront un bébé, dis-je. Biancamaria Ossobucco est jeune et solide malgré son visage grêlé. Elle a déjà eu des triplettes. Mes nièces.

Elles portent toutes mon prénom. C'est moi qui les ai mises au monde, vous savez.

— Rosa, dit-elle en reposant la tasse. Ton père n'a rien à voir là-dedans. »

Comme je disais, je ne crois pas à la voyance.

J'avais des tas de questions à poser à Donna Magnolia mais hélas, le temps manquait ; ils s'apprêtaient déjà à partir. Aux dernières nouvelles, la coulée de lave avait fini par être détournée, épargnant le village de Saluci dont les habitants pouvaient désormais regagner leurs domiciles. Craignant les pillages, Donna Magnolia avait hâte de retrouver sa maison et, comme Mauro devait rendre le camion dans la matinée, ils n'avaient pas le choix. Mauro promit d'être rentré pour le mariage, le lendemain matin.

« Ne partez pas, suppliai-je en marchant le long du camion qui démarrait, accrochée à Donna Magnolia par la vitre ouverte. Il faut que vous restiez, je le sens.

— Je reviendrai, Rosa. J'ai le sentiment que nous passerons beaucoup de temps ensemble, dans l'avenir. »

Sur ces mots, Mauro accéléra, me laissant seule et triste. Comme je repassai devant la porcherie, les cochons me regardèrent d'un air dépité. Ils n'avaient toujours pas mangé. Ce soudain retour à la réalité ne fit qu'ajouter une dose de culpabilité à ma tristesse. Je courus à la *cucina* leur préparer un succulent repas, censé compenser leur déception matinale.

Après cela, je m'attelai à la préparation des poulets. J'en avais cinquante à tuer et à plumer. J'enfilai mon gros tablier de boucher, attachai mes cheveux en chignon au sommet de mon crâne et me dirigeai vers l'étable où ils étaient enfermés. Devinant que leur heure avait sonné, ils se mirent à paniquer, à caqueter en faisant un vacarme à réveiller les morts. Ils détalaient en tous sens, soulevant sur leur passage un brouillard emplumé.

Je ne cours plus aussi vite qu'autrefois. Après quelques tentatives, je réussis enfin à en saisir un par les pattes. Pour tuer un poulet, on le tient par les pattes avec la main gauche (si on est droitier, bien sûr) et avec la droite, paume tournée vers l'extérieur, on lui serre le cou en laissant dépasser la tête entre l'index et le majeur. Puis on tire d'un coup sec de telle sorte que le cou du poulet se rabat en arrière et que sa colonne vertébrale craque. Il ne faut pas tirer trop fort au risque d'arracher la tête.

Il m'en restait quarante-neuf à occire. Une fois qu'on a pris le coup, la cadence augmente. Le tas d'oiseaux morts gagnait en hauteur, le nombre des vivants diminuait. Il me fallut quand même une bonne heure pour tous les expédier *ad patres*.

Ensuite, on passe à la phase suivante : plumer le volatile tant qu'il est encore tiède. C'est important car si on le laisse refroidir, l'opération s'avère plus complexe et on risque de déchirer la peau. Les plumes volaient, se collaient sur ma peau moite, mes cheveux, mon nez, me faisant éternuer. Je n'étais guère reluisante lorsque l'Inglese apparut, muni de son hamac de marin et d'un livre sur l'art de la ventriloquie.

« Bon, eh bien je vais te laisser continuer tranquillement », fit-il tandis que son visage prenait la couleur de la ricotta.

« Je ne comprends pas que tu aies peur des poulets. Ce sont des oiseaux, comme Betty.

— C'est différent, répondit-il. Betty sait parler. »

Je retournai à mon plumage et j'en avais jusque dans les oreilles quand j'entendis un bruit de moteur. Ce n'était pas Mauro, cette fois-ci, mais les Américains à bord d'un deuxième autobus, le précédent ayant fini à la casse.

Le poissonnier avait fait le voyage avec eux depuis la côte. Il descendit le premier d'un pas chancelant, les bras chargés d'un énorme thon sanguinolent en forme de baleine. Une bête magnifique, très fraîche, avec une peau bleu vif. Il sentait la mer. Pêché du matin, annonça-t-il. Les Américains qui le suivaient à bonne distance, le trouvaient « répugnant » et juraient que plus jamais ils ne mangeraient de thon en conserve. J'aidai le pêcheur à monter le poisson dans la *cucina.* Quand nous le déposâmes sur la table, on aurait dit un corps humain écorché, toutes proportions gardées.

Aventina Valente portait un curieux objet sur le crâne. Après maintes recherches, elle avait fini par trouver son bonheur, encore que la chose ne fût pas du meilleur effet, loin s'en fallait. Ce vaporeux postiche en nylon jaune lui permettait néanmoins d'affronter le monde la tête haute, comme à son habitude. Brad boitait encore. Comme il n'y avait pas de chaussures de sport à son goût sur l'île, il s'était acheté une paire de souliers normaux bien que trop étroits pour son pied. Le dentiste avait quitté Chicago pour la Sicile mais on craignait qu'il n'arrive pas à temps. Les autres membres de la troupe arboraient divers pansements dont ils espéraient pouvoir se débarrasser le grand jour venu. À présent que leur calvaire était terminé, ils avaient retrouvé leur bonne humeur et parlaient volontiers de leur aventure comme d'une expérience excitante qu'ils avaient traversée en héros.

Sur ces entrefaites, le chariot transportant les cousettes de Banquo Cuniberto fit son apparition dans la cour et, dans une envolée de tissu jaune, ces dames passèrent au salon pour les essayages.

Après avoir plumé mes cinquante poulets, je dus les porter dans *la cucina* pour les vider et les trousser. Je commençai par aiguiser un couteau jusqu'à ce qu'il soit tranchant à souhait puis j'attrapai le premier poulet et je glissai la lame de la base du cou vers la tête. Ensuite, je dénudai le cou, coupai la trachée artère au plus bas et l'arrachai. Pour ce faire, il faut glisser l'index de la main droite à l'intérieur et tirer en exerçant une rotation, de manière à sectionner tous les viscères d'un coup. Cela étant fait, on pratique une incision entre l'anus et le croupion, en prenant soin de ne pas abîmer le rectum. Il convient de dégager proprement l'anus à l'aide du couteau pour bien le séparer du reste, ce qui facilite l'extraction des boyaux. Le gésier, les poumons, le cœur viennent à la suite des intestins. Si vous aimez cela, vous pouvez en agrémenter un bouillon ou un ragoût. Sinon, les chiens de berger s'en régaleront. En tout dernier lieu, enlevez le jabot via le cou.

C'était bien beau d'avoir vidé un poulet, mais les quarante-neuf autres m'attendaient. Je travaillais à un rythme soutenu quand soudain j'entendis hurler. Les participants à la séance d'essayage firent irruption dans la *cucina*, plus ou moins dévêtus. Je crus comprendre que plusieurs d'entre eux avaient voulu s'asseoir dans le nouveau fauteuil et que des ruades prodiguées par des pieds invisibles les en avaient brutalement dissuadés. Ils refusaient de séjourner davantage dans une pièce hantée par des esprits frappeurs.

« Des esprits frappeurs ? Pas du tout, tentai-je de les rassurer. Ce n'est que Mamma. »

Loin de se calmer, ils insistèrent pour rester avec moi dans la *cucina*. Ce n'était pas l'endroit idéal en l'occurrence, car ceux qui n'étaient pas contraints à l'immobilité par les épingles des couturières fourraient leur nez partout, traînaient dans mes jambes et se penchaient sur mon ouvrage en poussant des soupirs horrifiés. Betty Jean tourna de l'œil au bout de quelques minutes. Je n'avais qu'une envie, qu'ils fichent le camp.

Faisant fi des importuns, j'entrepris de trousser mes poulets. Pour cela, il faut de la ficelle et une grosse aiguille. On rabat les cuisses vers l'avant et on enfonce l'aiguille dans le corps assez profondément pour transpercer l'aile et la peau du cou. Après, on continue en perçant l'autre aile puis on noue ensemble les deux extrémités de la ficelle. On enfile de nouveau l'aiguille, on passe la ficelle par-dessus la cuisse, sous la pointe du bréchet, et on l'enroule autour de l'autre cuisse. Enfin, on croise le fil par-derrière et on l'attache autour du chapeau de l'archevêque.

Mes mains bougeaient de plus en plus vite. J'expédiai mes cinquante poulets à la file et quand je les vis tous alignés côte à côte, dûment troussés, avec leur chair grise et plissée, je ressentis la satisfaction du travail accompli.

À la suite de quoi, je dus faire une pause, le temps d'essayer ma robe. J'étais couverte de sang et de boyaux de poulet, j'avais des plumes dans les cheveux, mais je ne suis pas comme ces femmes qui passent leurs journées à se pomponner. Moi, j'ai du boulot et personne ne le fera à ma place.

J'étais donc plantée là dans ma robe jaune, pendant que Vittorina Palmira me piquait, me poussait, me palpait, lorsque l'Inglese revint de l'oliveraie où il avait passé la matinée à bouquiner dans son hamac. Je tentai de mettre un peu d'ordre dans mes cheveux mais je crois qu'il ne me regarda même pas.

Aventina Valente sauta sur l'occasion pour lui mettre le grappin dessus. Ils entamèrent une conversation animée en anglais et, avant que je réalise ce qui se passait, elle lui caressait les cheveux. Lui de son côté, lui présentait ses flacons de médicament. J'étais censée rester immobile. La bouche pleine d'épingles, Vittoria Palmira me suppliait par San Clarus, le saint patron des tailleurs, d'arrêter de gigoter. Mais j'étais tellement hors de moi que je fis exploser toutes les épingles qu'elle avait eu un mal fou à disposer sur mon corsage.

Au même instant, quelqu'un proposa d'aller faire une balade en ville avec l'autobus. On parla de boire l'apéritif et de déguster quelques amuse-gueules au bar des *Due Ladroni*. À ma grande consternation, je vis l'Inglese sauter dans le bus avec les autres, sans m'accorder un seul regard. Quand ils eurent disparu, les couturières prirent congé à leur tour, me laissant seule avec moi-même. Certes, j'avais bien trop de choses à faire pour pouvoir les accompagner en ville mais quand même, ils auraient pu me le proposer. La chose positive c'est que j'étais au calme, à présent. Je pouvais me remettre au travail sans craindre d'être dérangée mais, au fond de moi, je me sentais un peu comme Cendrillon.

Comme je ne suis pas du genre à pleurer sur mon sort, j'aiguisai un autre coutelas et commençai à découper des filets de thon avant de les faire griller sur un lit de braises étalées dans la cour.

Quand j'eus mis les volailles à bouillir dans plusieurs gros chaudrons, avec du céleri, des oignons, du persil et du basilic, le tout finement haché, une chaleur épouvantable s'éleva dans la *cucina.* Au milieu des bouffées de vapeurs odorantes, le futur marié fit son entrée, le sourire aux lèvres, chargé de plateaux d'œufs. Décidément, le pauvre Rosario avait une tête d'imbécile heureux et ça n'allait pas en s'améliorant. Avec les œufs, je fis monter une grande quantité de mayonnaise. J'avais si chaud, je transpirais si abondamment que je dus m'arrêter cinq minutes, le temps de me passer de l'eau fraîche sur le corps et de changer de robe.

En fin d'après-midi, je désossai les volailles. Il y avait tellement d'os sur la table qu'on se serait cru devant les vestiges d'un massacre. Une fois la préparation achevée, je me torturai les méninges pour trouver comment conserver le plat jusqu'au lendemain sans qu'il se gâte. Je n'avais pas l'intention d'empoisonner tous les convives de la noce. Ce genre de désastre s'était produit par le passé. Si jamais cela m'arrivait, je pense que j'en mourrais de honte. Pour éviter cela, j'ajoutai à la mayonnaise le zeste râpé de vingt citrons avec un peu de jus, mais pas trop, pour qu'elle reste bien compacte, ainsi qu'une bonne quantité de câpres, pareillement hachées, et des anchois à l'avenant. C'est alors que l'Inglese débarqua pour m'annoncer :

« Je suis désolé, Rosa, mais je dois partir ce soir.

— Mais la noce… balbutiai-je. Tu ne peux pas manquer la noce.

— Je n'ai pas le choix, pardonne-moi. »

Une gêne diffuse planait au-dessus de nos têtes. Une pensée me vint dans un sursaut : que fallait-il en déduire ? Était-ce un adieu ? Allait-il disparaître pour ne jamais revenir ? Ce jour tant redouté était-il arrivé ?

Tout en continuant à incorporer les anchois à la mayonnaise, je voyais des larmes couler dans la jatte et se fondre à la mixture. Mes larmes.

L'Inglese m'attira contre lui. Je laissai tomber la cuiller, passai mes bras autour de son cou et enfouis mon visage dans sa poitrine, sans plus retenir mes sanglots. Il me laissa pleurer en me serrant fort.

« Allons, murmura-t-il. Ce n'est pas si grave. Si nous buvions ? »

J'attrapai une bouteille, deux verres. Nous nous attablâmes. Les ombres du crépuscule commençaient à envahir la *cucina*. À cette heure de la soirée, j'ai toujours un peu de vague à l'âme. L'Inglese reprit de sa voix sereine :

« Rosa, je ne n'ai pas toujours été honnête envers toi. » À ces mots, mon cœur se ratatina comme un soufflé raté. J'étais suspendue à ses lèvres. Sans m'en rendre compte, je descendis mon verre de vin d'une seule traite.

« Quand je t'ai parlé de ma profession, l'autre jour, j'ai menti. Enfin, pas vraiment, j'ai dit la vérité mais pas toute la vérité. J'ai fait cela pour ta sécurité, et la mienne aussi. Mais à présent, je ressens la nécessité de tout t'avouer. »

Après s'être ménagé une pause, il déclara benoîtement : « Je suis un agent du FBI. Nous combattons le crime organisé.

— La Mafia ? »

Il hocha la tête. Une chape de silence s'abattit sur nous.

« C'est pour cela que j'ai dû fuir Palerme, autrefois, reprit-il. Ma couverture était grillée : tu te souviens du portier de la bibliothèque ?

— Crocifisso, bien sûr que je m'en souviens.

— Il travaillait pour moi. Il faisait partie du clan Corleonesi mais il avait accepté de nous aider à traîner le *capofamiglia* Don Indelicato Lupo devant la justice. Il s'est fait prendre, et tu sais ce qu'il lui est arrivé… »

Dieu du ciel, Crocefisso un informateur ! Jamais je n'aurais imaginé une chose pareille.

Je gardai le silence, le temps de digérer la nouvelle. Puis une pensée soudaine me fit réagir :

« Mon frère Luigi, il te connaissait. Il a dit qu'il te ferait descendre…

— Eh bien, de toute évidence, il ne l'a pas fait puisque je suis encore là. Cela dit, nous l'avions dans le collimateur, lui et ses associés. Nous savons qu'ils utilisent les pizzerias pour blanchir leur argent sale. Mais cela n'a rien à voir avec nous deux, je te le jure. »

Des images tournoyaient dans ma pauvre tête.

« Et Don Umberto ? As-tu quelque chose à voir dans cette explosion ?

— Rien du tout. Tu parles comme si j'étais un repris de justice, moi aussi. Je ne tue pas les gens. Mon travail consiste à collecter des informations, ici et en Amérique, à assembler les pièces du puzzle afin de bâtir un dossier défendable devant une cour de justice. Je ne te cache pas que les activités d'Umberto Sogno nous intéressaient depuis des années. Il y a eu des frictions entre son organisation et le clan grec. Nous savions de source sûre que la querelle était en train de s'envenimer. Un malheur allait arriver, ce n'était qu'une question de temps.

— Et les cartes, les livres de cuisine ?

— De simples couvertures. C'est vrai, j'aime jouer, j'aime écrire des livres de cuisine. Ce sont des hobbys, si tu veux. J'ai de la chance d'avoir de telles flèches à mon arc : cela me permet de circuler partout sans trop attirer l'attention, de passer les frontières, de m'intégrer dans des groupes, d'engager la conversation avec qui je veux. Tout le monde rêve d'écrire un livre, y compris moi. Et je le ferai un jour, quand je me retirerai de ce métier. Les gens adorent discuter avec les écrivains, ils se plient en quatre pour leur faciliter la vie... »

J'étais bien placée pour le savoir.

« Tu t'appelles vraiment Randolph Hunt ?

— Non, c'est un pseudo. J'ai cessé de l'utiliser, après Palerme. J'en ai plusieurs aujourd'hui. »

Donc je ne l'avais jamais connu sous son vrai nom. Certes, quand je pensais à lui, je l'appelais toujours l'Inglese, mais c'était bizarre d'aimer quelqu'un dont on ignore l'identité.

« Alors comment t'appelles-tu ?

— C'est imprononçable : Pomfrey Farquarson-Fortiscue.

— Je vois. Es-tu vraiment anglais ?

— J'ai fait mes études en Angleterre. Mon père était écossais. Ma mère russe. Mais je suis né en Amérique et j'ai grandi en France. »

Mon Inglese était donc mon *Americano* ! Cela ne me faisait pas grand-chose. Pour moi, dans mon cœur, il resterait toujours mon Inglese.

« Maintenant que tu sais tout, que ressens-tu ? Cela te répugne ? »

Je réfléchis une seconde.

« Non. »

Cela ne me répugnait pas. Je trouvais cette nouvelle situation plutôt intéressante. Excitante. C'était mieux que son métier de joueur. Plus raffiné, certainement. Mais ne courait-il pas derrière une illusion ? Je n'arrivais pas à imaginer la Sicile sans mafia. Ces gens se débrouillent toujours pour éviter les procès. Il n'y a jamais aucune preuve contre eux. Personne n'ose témoigner. Et même si, par le plus grand des hasards, un caïd se retrouvait derrière les barreaux, un autre prendrait sa suite aussitôt. Mais le moment était mal choisi pour théoriser sur cette question.

L'Inglese poursuivit :

« Mes missions comportent une part d'imprévu, et de danger aussi. Je peux recevoir l'ordre de disparaître du jour au lendemain, comme aujourd'hui, pour des périodes indéterminées. Du coup, je rate beaucoup de choses : les mariages, les anniversaires. Et je suis tenu au secret sur mes activités, c'est une question de sécurité. Je te demande de n'en parler à personne, même pas aux membres de ta famille, aux gens que tu connais depuis toujours. Si on te pose la question, tu devras mentir, et je sais que ce ne sera pas chose facile pour quelqu'un d'aussi honnête que toi. Invente une histoire plausible, apprends-la par cœur. De cette manière, tu la ressortiras sans même réfléchir. Je ne devrais pas te dire tout cela. Les gens avec qui je travaille ne se confient pas, ni à leur femme ni à leur famille, mais j'estime que tu as le droit de connaître la vérité. Voilà pourquoi je dois partir sans savoir quand je reviendrai. Mais je reviendrai. Enfin, si tu veux encore de moi.

— Bien sûr que je voudrai de toi, répliquai-je. Je pensais que tu allais m'annoncer ton départ, pour de bon je veux dire. Mais si tu comptes revenir, alors tout va bien. Je m'y ferai. » Et de nouveau, je fondis en larmes. J'échappais au pire, comme si, après m'être tenue en équilibre au bord d'une falaise vertigineuse, on m'annonçait que je n'étais pas obligée de sauter, tout compte fait. Quel soulagement ! Il reviendrait. Il reviendrait.

Je couvris la mayonnaise, les poulets, le thon et nous montâmes nous coucher, le cœur un peu serré mais l'âme sereine. Nous nous aimâmes tendrement, avec des gestes tristes mais beaux, et quand je me réveillai de bonne heure, le lendemain matin, c'était comme si j'avais rêvé, comme s'il n'avait jamais existé. Il était parti.

Contorni

(Garniture)

Chapitre trente-huit

Le grand jour était venu. Je regrettais que Guerra et Pace ne soient pas là pour partager notre joie, car ils adoraient les fêtes de famille. Quelle idiote je faisais : eux vivants, leur femme n'aurait pas épousé mon père. Puis je pensai à l'Inglese. Lui aussi allait manquer la noce. Où était-il en ce moment ? Dans un avion ? Un bateau ? Quand le reverrais-je ? Dans des années ? Des semaines ? Passerais-je ma vie à l'attendre ?

Je me posais toutes ces questions, et d'autres encore, tout en frottant et récurant une vieille baignoire en zinc, le plus gros récipient en ma possession, le seul capable de contenir mon *pollo alla messinese*. Quand elle fut propre et étincelante, j'y entassai les morceaux de thon et de poulet, en mélangeant bien de façon à ce que dans chaque cuillerée on trouve autant de viande que de poisson, mais pas trop sinon on obtient de la bouillie. J'avais l'esprit ailleurs. L'Inglese me manquait déjà.

Délicatement, je répandis dessus la mayonnaise au citron, puis je recommençai à touiller pour que la préparation s'en imprègne. Je décorai mon plat avec des tranches de citron, des olives, des câpres. Il était aussi beau que bon. À peine l'avais-je recouvert d'un linge contre les mouches que Gaddo et Luciano se présentèrent à la porte. Je les envoyai se laver les mains, plutôt deux fois qu'une. La baignoire était si lourde qu'ils peinèrent à la soulever mais ils y arrivèrent. Avec mon aide, ils descendirent les marches et embarquèrent leur chargement dans le camion, direction la ville. Je restai à les regarder s'éloigner cahin-caha, en espérant qu'ils parviennent à bon port.

Biancamaria Ossobucco avait souhaité un mariage discret, par respect envers ses époux récemment décédés sauf que, par chez nous, un mariage discret ça n'existe pas. Ne voulant pas que toute la besogne m'échoie, elle avait tenu à ce que la fête se déroule chez elle, en ville. C'était très gentil de sa part mais j'avais quand même décidé de prendre en charge la majeure partie du buffet. En plus du *pollo alla messinese* et du gâteau, j'avais offert de fabriquer des *cannoli* car on en mange toujours aux mariages et que personne ne les réussit aussi bien que moi.

Il me restait trois heures avant le début de la cérémonie. Étant donné le nombre d'invités, j'allais devoir en produire des quantités industrielles ; dès qu'on en goûte un, on ne peut plus s'arrêter. Après cela, il fallait encore que je m'habille pour la noce. Mais je pensais pouvoir m'en sortir.

Je commençai par la pâte spéciale. Ayant versé un monticule de farine sur la table, je la saupoudrai de sel de mer puis j'ajoutai un peu de sucre et du cacao. Dans un puits au centre, je déposai du beurre tendre, des jaunes d'œufs et du vin de Marsala. On pétrit tout doucement pour former une grosse boule de pâte qu'on réchauffe au creux des mains, sinon elle devient dure comme du cuir. Après, on couvre et pendant que la pâte repose, on s'occupe de la garniture. Battre de la ricotta fraîche avec du sucre jusqu'à ce qu'elle devienne légère et mousseuse comme un petit nuage. Ajouter du chocolat râpé et les zestes finement hachés d'un citron, d'une orange et d'un citron vert. Ces petits bouts d'écorce dégagent un merveilleux arôme. Conserver la garniture dans un endroit frais. Étaler la pâte au rouleau, comme pour la *pasta*, puis la couper en carrés qu'on roule ensuite en diagonale autour des cylindres à *cannoli*. Refermer en collant les bords avec un peu de blanc d'œuf. Pincer fort la pâte pour qu'elle ne se détache pas. Mettre l'huile à chauffer et dès qu'elle est à la bonne température, faire frire les *cannoli*. Quand ils ont pris une couleur brun doré, les égoutter et, avant qu'ils refroidissent, retirer les moules cylindriques. Tout cela prend un temps fou, surtout quand on souhaite en confectionner des centaines. L'heure du mariage approchait, et je transpirais encore devant mes fourneaux. J'avais l'impression de puer la friture. Je commençais à regretter de m'être lancée dans une telle entreprise mais comme je n'ai pas l'habitude de reculer devant la difficulté, sans perdre une minute, je remplis ma poche à farcir avec ma préparation à base de ricotta et je fourrai les tubes de pâte. Quand tout fut terminé, je les saupoudrai de sucre glace et les disposai dans un casier. Il était l'heure de partir.

En un clin d'œil, je me lavai, j'enfilai ma robe jaune et mes chaussures blanches, trop petites pour moi. Nous les avions achetées en gros et aucune paire n'était à la bonne taille. Je savais que j'allais boiter toute la journée et que les ampoules mettraient du temps à guérir. Je finis par un coup de peigne. J'étais prête à me rendre en ville en compagnie de Rosario, futur marié et simple d'esprit.

Chapitre trente-neuf

Enfin, le mariage ! Rosario méritait sa part de bonheur, comme tout le monde. Il ne se tenait plus de joie. J'eus du mal à le reconnaître quand il entra dans la cour, vêtu d'un costume élégant pour la première fois de sa vie. Rasé de près, les cheveux bien coupés, parfumé à l'eau de Cologne, il avait l'air d'une personne normale. Bizarrement, je ressentis un genre de pulsion maternelle.

Il avait peint et fleuri la petite charrette de Carciofo. Comme il n'était pas question pour moi de faire le chemin à pied, avec ces chaussures trop étroites, je montai en aplatissant bien les couches de tissu sous mes fesses pour que ma robe ne se froisse pas. Pendant que je lissais mon jupon, Mauro apparut. Lui aussi semblait métamorphosé. Mamma disait toujours que les jolis plumages font les jolis oiseaux ; elle avait raison. Propre, rasé de frais, Mauro était presque beau dans son costume sombre. Ses cheveux bien coupés mettaient son visage en valeur. Il accueillit mes compliments d'un air presque timide. Nous étions tous les trois de fort bonne humeur, comme il se doit pour des gens se rendant à un mariage. Nous nous mîmes en chemin, moi juchée sur la charrette, Rosario et Mauro marchant de part et d'autre de Carciofo.

En arrivant en ville, nous vîmes des gens sortir de chez eux pour nous regarder passer. Dans un patelin aussi tranquille, un mariage constitue un divertissement. Des gosses nous suivaient en galopant, ce qui agaçait copieusement Carciofo, qui s'agitait comme pour leur décocher des ruades. L'esprit du mariage lui passait largement au-dessus de la tête. On nous adressait de grands saluts, on félicitait le futur marié. Rosario contemplait tout cela, la gueule enfarinée. Les cloches carillonnaient (Biancamaria Ossobucco avait payé de ses propres deniers les réparations du campanile), les rues étaient bondées et moi, je me sentais toute guillerette.

Nous fîmes halte devant les marches de l'église de San Antonio Abate où les Fiore se marient depuis des générations. J'avais déjà mal aux pieds. Parmenio Folli, le fleuriste, apporta la boutonnière du marié et celle du garçon d'honneur. Je les épinglai sous l'objectif du photographe qui, venant d'arriver, mitraillait tout ce qui bougeait. En lançant des regards furtifs autour de lui, Rosario débarrassa Carciofo de son harnais et lui fit grimper l'escalier. Il tenait absolument à ce que son mulet, son ami de toujours, assiste à ses noces. Comme beaucoup de gens à l'intelligence limitée, Rosario peut se montrer aussi entêté que sa monture. Une fois qu'il a une idée en tête, il n'en démord pas. Il prévoyait de cacher Carciofo dans le confessionnal en partant du postulat que le curé n'y entrerait pas avant la fin de la cérémonie.

« Tu es superbe, Rosa », s'exclama Mauro. Il exagérait, bien sûr, parce que le jaune me fait un teint aussi blafard que celui de Marinangela Brolese, peu avant sa mort.

« Tu n'es pas mal non plus », répondis-je sans mentir.

Mauro alla aider Rosario à pousser le mulet en haut des marches, ce qui n'était pas une mince affaire tant elles étaient nombreuses. Dès qu'ils eurent franchi les portes, Biancamaria Ossobucco arriva dans une calèche ouverte, avec les triplettes et Aventina Valente. J'en fus chagrinée. Si quelqu'un devait l'accompagner, c'était bien moi. Un deuxième attelage transportait Patty May, Sandra Ann, Betty Jean, Liza Lu, Nancy et Ivy, serrés comme des sardines.

Je dois dire que Biancamaria Ossobucco était jolie comme un cœur. On ne voyait presque pas les cicatrices sur son visage et sa robe lui allait à ravir. Le bataillon de couturières se matérialisa soudain et se mit à bourdonner comme des abeilles dans la corolle d'une belle rose blanche, le temps de procéder aux derniers ajustements, tirant d'un côté, lissant de l'autre. Les triplettes piaillaient d'excitation. Rosita avait eu un petit accident dans la calèche mais la tache se remarquait à peine. Les gens allaient et venaient sur les marches. Parmenio Folli distribuait les bouquets et nous disposait par groupes, car il était ridicule d'avoir tant de filles d'honneur. Finalement, sur les coups de onze heures, le cortège pénétra dans l'église.

Peu après, le Padre Goffredo unissait Biancamaria Ossobucco et Rosario, mon père, par les liens sacrés du mariage. Je pleure toujours pendant les noces. C'est plus fort que moi. Tandis que les larmes ruisselaient sur mon visage, je songeais à Guerra et Pace. Carciofo choisit cet instant pour se mettre à braire dans le confessionnal. Comprenant qu'il s'était fait berner, le Padre Goffredo réagit avec bonhomie.

Après la cérémonie, tout le monde se retrouva de nouveau sur les marches. Le photographe tenta de mettre un peu d'ordre dans la cohue. Il me semblait qu'Aventina Valente ne lâchait pas Mauro, ce qui m'énervait prodigieusement puisque Biancamaria Ossobucco en personne m'avait nommée première demoiselle d'honneur, et qu'à ce titre Mauro était mon cavalier. En plus, Aventina Valente n'avait même pas été invitée. Elle s'était carrément imposée.

Nous passâmes tellement de temps à sourire au photographe que nos joues nous faisaient mal. Le soleil de midi nous aveuglait de ses rayons. Les relents de naphtaline qui s'élevaient des costumes, les gaz sulfureux filtrant toujours du volcan en colère déclenchèrent plusieurs crises d'asthme. Nous fûmes bien soulagés quand le photographe nous libéra et que nous prîmes le chemin de la maison en cortège.

Chapitre quarante

Mon premier réflexe fut d'aller vérifier le buffet dans la grande salle de réception. Tous les plats me semblaient disposés avec soin ; j'arrangeai juste deux ou trois bricoles. Le gâteau faisait bel effet, trônant tout seul au centre d'une table ronde. Je pris note de surveiller les petits pour les empêcher de grignoter les sujets en pâte d'amandes. Carciofo lui aussi était fort capable de ravager mon gâteau ; jamais mulet n'a autant aimé les friandises.

Comme Biancamaria Ossobucco avait engagé des extras, je fus dispensée du service. J'étais une invitée comme les autres, et je dois dire que c'était une nouveauté pour moi. D'habitude, je me coltine tout le travail. Le *pollo alla messinese* se révéla délicieux. Les Américains en reprirent plusieurs fois sans réaliser que c'était le plat qu'ils m'avaient vue préparer la veille, celui dont les ingrédients – poulets plumés, thon sanguinolent – les avaient tant écœurés.

Après le déjeuner, nous continuâmes à bavarder, comme toujours pendant les mariages, car c'est une occasion pour tout le monde de se retrouver. J'étais sans doute la seule de l'assemblée à me rappeler qu'à peine un mois auparavant, nous étions tous réunis pour la veillée funèbre de mes pauvres chers jumeaux.

On débarrassa, le thé fut servi, accompagné de mes *cannoli*. Ils étaient particulièrement réussis, ce dont je n'aurais pas juré au moment où je les avais fabriqués. Les convives firent la queue pour en avoir un deuxième puis un troisième. À un moment, parmi la foule, j'aperçus Aventina Valente, un *cannoli* entre les dents, donnant la becquée à Mauro. Ils grignotèrent chacun leur bout de gâteau jusqu'à ce que leurs nez se touchent. Spectacle parfaitement odieux.

À part cela, j'étais très satisfaite de mon buffet. Nous avions prévu des quantités suffisantes, chose essentielle. J'espérais que ce repas de noces resterait longtemps dans les mémoires, autant par sa qualité que sa quantité. Hélas, l'événement qui suivit éclipsa ma réussite culinaire ; ce mariage resta dans les annales mais pour une raison radicalement différente. Cela étant dit, je me sentais un peu lourde vers la fin, malgré mon célèbre coup de fourchette. J'avais l'impression d'avoir mangé pour plusieurs jours ; et je suis sûre qu'il en était de même pour la plupart des invités.

Rosario n'arrêtait pas de danser, un sourire béat collé sur le visage. En le voyant ainsi, je priai pour que tout se passe bien. Je ne suis pas pessimiste de nature mais nous savons rester circonspects, nous autres. D'ailleurs, nul n'ignore que le prix du bonheur est la mort.

Après le thé, on posa le gâteau devant les nouveaux mariés. J'éprouvai une légère crispation en voyant Rosario empoigner le grand couteau. Mais je me faisais du souci pour rien. Personne ne mourut poignardé, le gâteau fut célébré à l'unanimité et cela me réchauffa le cœur. J'ai gardé dans ma boîte à trésors la photographie de cette merveille ; elle est un peu déchirée et froissée, après toutes ces années. Lorsque les enfants se précipitèrent sur les sujets en massepain et que le jeune Alberto Fiore mordit dans ma Rosa miniature, je sentis presque ses grandes dents s'enfoncer dans ma chair. Étrange impression.

Vint le moment de se divertir. Une estrade avait été dressée dans la cour, avec des tables et des chaises disposées tout autour. Là encore, Biancamaria Ossobucco n'avait pas regardé à la dépense, je dois l'avouer. Non seulement elle avait engagé Selma Maccarone mais elle avait fait venir le célèbre castrato Martino Volta. Ils entonnèrent ensemble de si tendres duos que les notes s'envolaient telles des colombes jusqu'aux cieux. Je ne sais pas ce qui me prit mais je me mis à pleurer à chaudes larmes. Me voyant sangloter, ma cousine célibataire Betsabea Calzino, la fille de Zio Pietro qui était mort dans le glissement de terrain pendant les funérailles des jumeaux, entreprit de faire savoir à tous les invités que la ménopause s'était abattue sur moi en plein mariage, si bien que les gens me dévisageaient pour vérifier si c'était vrai.

On avait embauché un cracheur de feu car les triplettes avaient adoré ce spectacle lors de la *festa*. Un incendie se déclara quand l'une des torches embrasa une nappe de location. Une étincelle atterrit sur la perruque d'Aventina Valente et, pendant un instant, nous crûmes vraiment que l'histoire se répétait. Gargantubrad fit preuve d'initiative en lui versant une carafe d'eau sur la tête, ce qui sauva la perruque mais laissa sa propriétaire fulminante et trempée.

Après ce court intermède, l'orchestre de Privato démarra son récital. Le jour déclinait, on alluma les lanternes, le ciel prit une couleur lavande. Les couples se formèrent. Pour m'occuper, je débarrassai les verres et les assiettes. J'étais en train de me dire que je ne danserais pas ce soir quand je sentis des mains me saisir par la taille. Mauro m'entraîna sur la piste.

Aujourd'hui, j'adore danser mais pendant des années, l'occasion ne s'est pas présentée. C'était une valse. À ma grande surprise, je découvris que Mauro était bon cavalier. Malgré sa corpulence, il a le pied léger. Il virevoltait autour de moi avec une prestance communicative. Je me sentais pousser des ailes. Et pourtant, je n'avais aucune pratique.

Les gens disaient :

« Regardez un peu Zia Rosa.

— Qui aurait cru qu'elle savait si bien danser ?

— Ils forment un beau couple, ces deux-là.

— Dieu merci, cet étranger farfelu a fini par se tirer. »

Pas une fois, Mauro ne me marcha sur les pieds. C'était une chance parce que j'avais enlevé mes souliers trop étroits quelques minutes plus tôt et que je ne me rappelais plus où je les avais mis. Il tournoyait, glissait, me plaquait contre lui. Je sentais son corps chaud, solide. Son odeur de beurre frais, mêlée au parfum biscuité de ses vêtements neufs et rehaussée par des petites touches d'eau de Cologne au citron, me parvenait par bouffées. Il m'emportait dans la danse et j'adorais cela. Je n'aurais jamais cru m'amuser autant. Après la première valse, il y en eut une autre. Nous remîmes cela sans même nous concerter. Tandis que nous tournions, je voyais nettement les visages nous observer. J'étais cramoisie car danser donne chaud. Mauro choisit ce moment pour me balancer à brûle-pourpoint :

« Il t'a raconté son histoire d'agent secret ? J'espère que tu n'y as pas cru, hein ? »

Sidérée, je m'arrêtai l'espace d'une seconde, puis ses bras musclés m'emportèrent à nouveau. Comment Mauro pouvait-il être au courant ? C'était une information top secret.

« J'ignore de quoi tu parles, mentis-je.

— Cela n'a rien d'un mystère. Tout le monde le sait, dans la région.

— Ah bon ?

— Mais oui. Il ne s'est pas gêné pour répandre son histoire. Fausto Pustolino l'a apprise par Manlio Estivo qui la servait à tous ceux qui attendaient l'autobus… »

Il se tut, le temps de me renverser en arrière en me retenant de son avant-bras bronzé. Les spectateurs cessèrent de respirer. Ils croyaient que j'allais me vautrer par terre mais je réussis à me relever et nous repartîmes de plus belle autour de la piste de danse.

« ... et quand l'autobus est arrivé, Lupo Calderone qui en descendait a dit qu'il l'avait entendue à Randazzo, de la bouche du type qui joue de l'harmonica devant le magasin de vêtements pour ecclésiastiques. »

Je ne savais que dire. L'orchestre s'interrompit. Tout le monde applaudit. Mauro me lâcha et conclut en disant :

« Moi, je n'en crois pas un mot. Ce type est un escroc, comme le Padre Buonaventura. »

Le personnel de service ayant disparu, je décidai d'entasser les assiettes et les verres sales et de les porter dans la cuisine. Je remplis l'évier avec de l'eau chaude et du produit vaisselle. Tout en lavant, je tournais cette histoire dans ma tête. Que fallait-il en penser ? Mauro avait-il raison ? L'Inglese s'était-il répandu dans la toute région ? Si c'était vrai, et qu'il était vraiment agent secret, il courait un grand danger. S'il n'était pas agent secret, alors pourquoi m'avoir menti ? Si je me mettais à douter de cette histoire, je risquais de douter de tout le reste. Comment Mauro savait-il que l'Inglese s'était confié à moi ? Nous avait-il espionnés ? Mes bras et mes mains étaient rouges et fripés, l'eau dégoulinait le long de mes coudes, trempait ma jupe en tulle, mes pieds nus pataugeaient dans une flaque, la pile d'assiettes propres formait comme une tour mais je n'avais toujours pas éclairci ce problème épineux. Je luttais contre une furieuse envie de plonger mes mains dans un sac de farine lorsque je vis entrer Biancamaria Ossobucco suivie de Rosario – car où qu'elle aille il va. Elle me ramena dans le patio en disant :

« Rosa, tu ne dois pas rester dans la cuisine à faire la vaisselle. Je veux que tu t'amuses. »

J'obtempérai pour lui faire plaisir quoique j'eusse préféré rester tranquillement à l'écart. Mais c'était un grand jour pour Biancamaria Ossobucco et je voulais qu'elle soit heureuse.

Aventina Valente avait fait sécher sa perruque. À présent, la chose ressemblait à un chat tombé dans un puits, ce qui n'empêchait pas l'ancienne serveuse de faire feu de tout bois. Tandis que Biancamaria Ossobucco et Rosario me reconduisaient vers leur table, l'orchestre entama un tango. Aventina Valente fit lever Mauro de force.

Les autres couples – Petronilla et Paolo, Selma Maccarone et le castrato Martino Volta, Berenice et Didimo, Innocente et Concettina Capone, Parmenio Folli et Betsabea Calzone, Patty May et Gargantubrad – cessèrent aussitôt de danser, comme s'ils se sentaient de trop sur la piste. Ils regardèrent médusés Aventina Valente et Mauro se pavaner de long en large, exécutant les figures saccadées et mélodramatiques du tango argentin, s'empoignant sans vergogne, jouant des hanches et de la cuisse. Aventina Valente ne tarda pas à relever sa jupe déjà trop courte pour exposer ses jambes molles. Elle en balança une autour de Mauro d'une manière si provocante que tout le monde en resta pantois. Je dois dire qu'ici, dans la région, ce genre de chose ne se fait pas. Même la mule d'Ippolito Brolese cessa un instant de braire pour les contempler en passant la tête à travers la haie de lauriers.

À la fin du morceau, il y eut deux secondes de silence puis un tonnerre d'applaudissements. Mauro devait se sentir un peu gêné car il rougit jusqu'aux oreilles et tenta vainement un repli discret. Aventina Valente vivait son heure de gloire. Elle se rengorgeait, prenait des poses, se tortillait pour mieux faire étinceler sa joaillerie. Tout cela sans lâcher la main de Mauro. On aurait dit qu'ils formaient un couple.

Plus tard, je la vis assise sur ses genoux, occupée à lui glisser dans la bouche des cuillerées de charlotte. Betsabea Calzone se pencha vers moi en disant :

« Les prochains à passer devant l'autel, ce sera eux. Tu verras si j'ai pas raison. »

Ne sachant quoi dire, je ne répondis rien. À ce moment précis, un chien enragé s'introduisit dans la cour. Tout le monde poussa les hauts cris. C'était un grand chien de berger au poil fauve appartenant à Nebore La Marca. Pendant des jours, il avait battu la campagne avec des yeux fous. À présent, une écume verdâtre lui barbouillait la gueule et il grognait.

Vif comme l'éclair, le chien fila droit sur Valentina Valente. Pourquoi la choisir elle ? Je n'en sais rien. Toujours est-il qu'on la vit bondir sur une table en hurlant. L'entendant braire, la mule d'Ippolito Brolese l'encouragea de la voix ; Carciofo fit de même depuis le balcon fleuri de bégonias pourpres où il avait réussi à se hisser.

Le Padre Goffredo brandit son crucifix et nous demanda de prier avec lui mais nous étions trop occupés à paniquer. Instinctivement, j'attrapai les triplettes et, tout en balançant des coups de pied dans le vide pour tenir le chien en respect, je les soulevai au-dessus de ma tête. Rosario prit sa femme et la leva le plus haut possible, si bien qu'elle se retrouva à la même hauteur que ses filles. Les triplettes et leur mère en profitèrent pour s'accrocher les unes aux autres. De loin, on aurait pu nous prendre pour des acrobates effectuant un numéro d'équilibre.

Gargantubrad fracassa une chaise de location sur la piste de danse. Empoignant l'un des pieds comme un bâton, il s'avança vers le chien qui recula, émit un grognement féroce et planta ses crocs dans le postérieur rebondi de Betsabea Calzone. Comme il attaquait la malheureuse, il ne vit pas la flèche bleue traverser la cour. Mauro atterrit brutalement sur le dos du chien, le saisit par la tête et d'un geste preste, lui brisa la nuque. Couchée sur le dos, la bête agita ses pattes une ou deux fois encore et mourut.

La plupart d'entre nous pleuraient, y compris moi. Ma belle-sœur Vereconda estima opportun de hurler :

« C'est un présage. Un mauvais présage. »

Comme elle rabâche cela depuis des années, plus personne ne la prend au sérieux. Biancamaria Ossobucco fondit en larmes. Une jeune mariée ne devrait pas subir une telle épreuve le jour de ses noces. On transporta Betsabea Calzone chez le docteur Leobino, on mit le chien dans un sac et moi, je préparai du café bien fort pour tout le monde. L'orchestre de Privato eut le courage de reprendre quelques mesures en sourdine mais plus personne n'avait le cœur à danser, hormis les enfants qui cavalaient sur les tables et se cabraient en imitant les grognements du chien fou. La fête était terminée et nous n'étions pas près de l'oublier.

Chapitre quarante et un

Aventina Valente avait offert aux nouveaux mariés deux nuits dans son hôtel de Taormine. Donc, chose surprenante, ils partirent quand même en lune de miel. Ils embarquèrent dans l'autobus avec les Américains. Tandis que nous leur adressions de grands signes d'adieu, je remarquai qu'Aventina Valente ne faisait pas partie du voyage.

Biancamaria Ossobucco jeta son bouquet dans la foule par la vitre ouverte. Je vis bien qu'elle me visait, alors je l'attrapai. Mais comme tout le monde savait que je ne me marierais jamais, certaines jeunes demoiselles marmonnèrent que c'était du gâchis.

Rosario hésitait à se séparer de Carciofo, mais comme le patron de l'hôtel n'admettait pas les mulets dans les chambres, il dut se faire une raison. À force de cajoleries, nous convainquîmes la bête vénérable d'escalader la rampe inclinée, à l'arrière du camion. Je hissai les triplettes sur le siège. Elles étaient si épuisées qu'elles s'endormirent dès que j'eus démarré. C'était bizarre de conduire pieds nus, mais je n'avais pas le choix.

Nous regagnâmes la *fattoria* dans le silence du petit matin blême. Une par une, je portai mes nièces à l'étage. Chaque fois que je passais devant la *cucina,* une voix stridente claironnait :

« Je suis du FBI. »

« Top secret. »

C'était Betty.

Quand je recouvris sa cage, le perroquet ajouta :

« Nous combattons le crime organisé. »

Un vrai personnage de dessin animé.

Peu après, nous étions pelotonnées toutes les quatre au fond de mon lit – mes nièces aiment dormir avec leur Zia Rosa, bien qu'on soit un peu tassées et qu'elles aient tendance à me marteler de leurs six petits pieds. J'avais du mal à trouver le sommeil. Les petites remuaient, transpiraient, la journée avait été trop longue, trop chaude, trop agitée. Il y avait eu trop de mauvaises surprises, j'avais trop bavardé, mes pieds meurtris me mettaient à la torture et je songeais sérieusement à me relever pour les plonger dans un bain de moutarde. Mais avant tout, je pensais à l'Inglese.

Même le verbiage inconséquent du perroquet m'énervait. Étais-je la seule à prendre cette affaire d'espion au sérieux ? Si jamais je commençais à douter de l'Inglese, je risquais de m'engager sur une mauvaise pente. J'avais déjà douté de lui une fois, à Palerme, quand j'avais cru l'apercevoir dans les ruelles autour du port. Je l'avais suivi, tout cela pour me rendre compte de mon erreur ; ce n'était pas lui, seulement le dos d'un inconnu qui lui ressemblait. Mon esprit tracassier m'avait joué des tours. Quelle raison avais-je de douter de lui, aujourd'hui ? Aucune. Pourtant, cette irritation ne me quittait pas, comme une piqûre de moustique qui démange encore plus lorsqu'on la gratte. Une aura de mystère entourait mon amant. Il n'était pas comme nous. Ici, tout le monde connaît tout le monde. Les gens naissent et grandissent dans la même communauté. On sait tout de l'autre, sa famille, ses ancêtres. Les choses ont toujours fonctionné ainsi, on n'y échappe pas. C'est justement cette différence, ce frisson de l'inconnu, qui m'avait attirée vers lui.

J'hésitais à me lever pour préparer le pain. Pourquoi rester couchée quand on n'arrive pas à dormir ? J'en étais là de mes réflexions quand le tapage commença. D'abord, des cris percèrent le silence de la nuit, déchiquetant mes idées noires. Puis ils gagnèrent en force et en fréquence. Comme je tendais l'oreille pour déterminer leur provenance et leur auteur, ils se répandirent dans toute la vallée. Je reconnus des beuglements avinés, des rires gras, des cris de plaisir qui allaient crescendo, toujours plus stridents, toujours plus frénétiques, avant de s'apaiser peu à peu comme une vague qui se retire. Au bout d'un moment, je compris d'où ils venaient : la rangée de maisonnettes où logeaient les ouvriers. Ce rire rauque, indécent ne pouvait jaillir que d'une seule gorge : celle d'Aventina Valente. Quant à l'identité de l'homme qui l'accompagnait, je la devinai sans peine.

Dérangés par ces clameurs incongrues, les animaux émergèrent de leur somnolence. Dans la *cucina*, Betty se lança dans le genre de récital cacophonique qu'on entend dans les jungles où elle a vu le jour. Dehors, d'autres bêtes se joignirent à ce chœur insolite : cochons, poulets, chats, rats, oiseaux, chiens, mules, chèvres, brebis et, tout au loin, en écho, le mugissement assourdi du taureau d'Indelicato Paternostro. La petite Rosa ouvrit un œil et demanda :

« Zia Rosa, c'est quoi ce bruit ? »

Et je répondis : « Juste les bruits que font les animaux la nuit, *cara.* Rendors-toi. »

Les rugissements d'Aventina Valente que Mauro emmenait au septième ciel me contrariaient au plus haut point. Il prétendait m'aimer, et voilà qu'il s'envoyait en l'air avec la serveuse de Linguaglossa. Il y a quelque chose que je ne comprends pas chez les hommes.

Chapitre quarante-deux

Le matin suivant, les petites Rosa et moi préparâmes des *sfincioni* pour le déjeuner. Je leur racontai qu'à l'heure de ma naissance, leur grand-mère confectionnait justement ce plat et que j'étais née sur la table, au milieu des anchois. Rosina me fit remarquer :

« Tu nous l'as déjà répété quatre cents fois. »

J'avais oublié que, quand on est trois, on sait tout.

Une fois de plus, l'autobus des Américains fit son entrée. C'était devenu une habitude quotidienne. Sachant que les quantités prévues ne suffiraient pas, je m'empressai de rajouter un autre sachet de farine et de la levure.

Je trouvais bizarre de ne pas pouvoir communiquer directement avec mes nièces géantes. Dès que le bus les eut déversées dans la cour, elles entreprirent d'agiter leurs gros bras en produisant des sons vibrants avec les lèvres. C'était fascinant.

Visiblement passionné par leur prestation, le chauffeur, qui s'appelait Natale et ne parlait pas davantage leur langue, se tenait près du groupe que nous formions, les triplettes, Carciofo et moi.

Quand elles s'arrêtèrent, il applaudit frénétiquement car il espérait un généreux pourboire.

Toujours est-il que personne ne comprenait la signification de cet étonnant spectacle. Nous commencions à nous demander quel serait le numéro suivant quand Aventina Valente et Mauro se pointèrent, débraillés et nonchalants au possible. Ils avaient du mal à marcher droit et leurs cous portaient des traces de morsures, comme si des vampires, ou des chauves-souris, leur avaient sucé le sang durant la nuit.

Grande nouvelle, le séjour des Américains touchait à sa fin. Ils partaient pour Palerme où un aéroplane les ramènerait à Chicago. Après maintes étreintes et embrassades, Aventina Valente finit par se détacher de Mauro en déclarant :

« Ne nous disons pas "goodbye", juste au revoir. »

Elle s'installa à l'arrière du bus, tapota ses diamants contre la vitre et, des larmes plein les yeux, nous adressa de grands gestes d'adieu jusqu'à ce que l'autobus sorte de la cour et disparaisse dans un nuage de poussière.

J'étais bien soulagée de les voir partir. Mauro ne semblait pas fou de douleur, lui non plus. Un petit sourire satisfait jouait sur ses lèvres.

Une fois que nous eûmes cessé d'agiter les mains, je le gratifiai d'un regard de ma composition, assez éloquent pour résumer mon état d'esprit.

« Qu'est-ce qui te prend ? demanda-t-il.

— Moi ? dis-je. Rien du tout. Cette question s'adresse plutôt à toi. Regarde, ton cou est couvert de morsures. Tu devrais avoir honte.

— Pourquoi ?

— Si tu l'ignores, ne compte pas sur moi pour te l'apprendre.

— Je crois que tu es jalouse.

— Pas du tout. Mais je te trouve déloyal. Tu prétendais m'aimer.

— Je t'aime. Plus que jamais.

— Comment peux-tu dire une chose pareille alors que tu as dormi avec Aventina Valente ?

— Je n'ai pas dormi du tout, si tu veux savoir.

— Je t'en prie, épargne-moi les détails. Toute la vallée a entendu le vacarme que vous faisiez. Et tu vois très bien ce que je veux dire.

— Je ne suis pas pire que toi quand tu couches avec James Bond. Cette femme ne signifie rien pour moi. C'était juste de l'exercice. Elle n'a pas arrêté de m'allumer avec son grand rire, ses grandes dents, ses grands yeux, ses grands cheveux qui s'enlèvent, ses pelotages, ses câlineries. Elle voulait passer un bon moment. Qu'étais-je censé répondre ? : "Non merci, je reste chaste jusqu'à ce que Rosa recouvre la raison ?" Moi, je préfère m'amuser en attendant. Je ne vois pas de mal à cela.

— Ce n'est pas du tout la même chose », répliquai-je d'un ton espiègle en gravissant les marches de la *cucina* où le silence des triplettes ne me disait rien qui vaille. Non, ce n'était pas la même chose. Il y a quelque chose de spécial entre l'Inglese et moi ; nous nous aimons – enfin surtout moi. Notre amour n'a rien à voir avec de « l'exercice ».

Chapitre quarante-trois

Ce jour-là, lendemain du mariage, je me sentais un peu déprimée. Le contraire eût été étonnant. Après tous ces préparatifs, après l'excitation de la noce, le silence et calme s'étaient abattus d'un coup. Les belles roses rouges n'avaient pas survécu à la fête. Pareil pour le bouquet de Biancamaria Ossobucco, qui jaunissait déjà. Je jetai les fleurs mortes sur le tas de compost ; elles me rappelaient trop les cimetières.

Betty jacassait sans discontinuer :

« Pizza *connection*. Fidélité. Bravoure. Intégrité. Un cherry sans eau… »

À la fin, bien qu'il fît jour, je recouvris sa cage pour lui couper le sifflet. Ce volatile me portait sur les nerfs.

Les fillettes étaient plus dissipées que d'habitude. Je ne pouvais pas me permettre de les quitter des yeux un seul instant. En début de matinée, profitant de quelques secondes d'inattention, elles avaient mis Rosina dans le seau du puits. Peu après, elles avaient tenté d'égorger l'un des porcelets (à cet égard, elles me ressemblaient beaucoup : elles voulaient devenir bouchères quand elles seraient grandes). À peine leur avais-je confisqué le fendoir, le coutelas et la scie qu'elles se mirent en tête de peindre Carciofo avec un pot de chaux trouvé dans le vieux poulailler. À son retour, Rosario aurait un coup de sang.

Pour les calmer, je résolus de les emmener voir Betsabea Calzone, à l'hôpital. Betsabea est bête comme ses pieds mais je la plaignais sincèrement de s'être fait mordre par un chien enragé. Persuadée que la visite des triplettes lui remonterait le moral, je lavai soigneusement les mains et les frimousses, peignai et nattai les cheveux, non sans déclencher quelques hurlements stridents à cause des nœuds. Une fois entassées dans le camion, nous partîmes pour la ville.

Betsabea Calzone occupait le lit voisin de celui de Selmo Archangelo. Elle avait une mine superbe, je dois dire. Jamais elle ne s'était si bien portée. S'étaient succédé à son chevet le Padre Goffredo, le castrato Martino Volta, un homme fort aimable qui, voulant se rendre au bureau de poste, s'était trompé de chemin et, cerise sur le gâteau, la mairesse Donna Rea Reparata Gusto qui en profita pour se faire photographier par la presse locale.

Betsabea Calzone savourait la soudaine célébrité que lui conférait sa blessure. Elle insista pour se lever seule et me montrer son postérieur couvert de bandages. Heureusement, elle nous épargna le spectacle des plaies. Cette vision traumatisante aurait donné des cauchemars aux triplettes.

Je compris très vite que j'avais eu tort d'emmener des gamines de trois ans à l'hôpital. Pour s'occuper, elles commencèrent par tirer sur les poulies de la machine qui maintenait en traction la jambe du vieux Domani. Puis elles chipèrent les fausses dents de Betsabea dans le verre de détartrant posé sur sa table de chevet. Depuis quelque temps, les dentiers faisaient fureur. Au printemps dernier, personne n'en portait et maintenant, tout le monde avait le sien.

Mais il était trop tard pour changer d'avis. Nous étions là, il fallait rester. Par-dessus le marché, Betsabea était capable de parler plusieurs heures sans respirer. Je dus attendre que les triplettes découvrent un cadavre derrière un paravent et qu'elles se mettent à jouer avec pour la planter là au milieu d'une phrase, attraper les fillettes et m'enfuir à toutes jambes.

Devant l'hôpital, régnait une terrible agitation. Une foule en émoi entourait un brancard qu'on poussait vers les admissions. Dans la cohue, je reconnus Indelicato Paternostro. Il pleurait. Le Padre Goffredo administrait les derniers sacrements. Un photographe mitraillait la scène à coups de flash. Les sœurs infirmières tentaient péniblement de ramener l'ordre. La petite Rosa qui, assise sur mes épaules, bénéficiait d'une vue plongeante sur le brancard, demanda :

« Etna est morte ? »

J'ignorais encore que la petite avait raison. La pauvre Etna était bien morte.

Les dieux nous faisaient payer le bon temps que nous avions pris la veille. Nous avions trop ri, trop festoyé, trop dansé ; ils nous rappelaient à l'ordre et nous montraient une fois de plus que le prix du bonheur est la mort.

Nous perdions une personne par jour. Aujourd'hui, c'était Etna. La pauvre gosse n'avait que seize ans. Sa sœur Amoretta n'était pas la seule à avoir succombé aux charmes du faux curé. Depuis la fuite des deux amants, son jeune cœur avait enduré mille souffrances, découvrant à la fois l'amertume de l'amour non partagé et le poison de la jalousie. Tout cela lui avait tourné l'esprit. Le jour du gâteau au fromage, je l'avais vue de mes propres yeux, allongée sur le sol de la maison. Après coup, bien sûr, je m'en voulus. J'aurais dû faire quelque chose pour l'empêcher de commettre cet acte odieux.

Voilà ce qui s'était passé : elle s'était rendue intentionnellement dans l'enclos en bordure de la ville, où Indelicato Paternostro enfermait son taureau blanc, celui que nous avions entendu beugler la nuit dernière. Un fauve si féroce que dix hommes armés de bâtons parviennent à peine à le maîtriser à l'époque du rut. Quand j'étais jeune, ce même animal avait massacré le petit ami de Pasquala Tredici, laquelle dans son chagrin était entrée au *Convento degli Angeli*. Elle y est encore.

Apparemment, Etna avait tout organisé dans les moindres détails, allant jusqu'à s'habiller en rouge pour exciter le taureau. Elle avait escaladé la barrière, marché droit sur le monstre qui, bien évidemment, n'appréciant guère son intrusion, s'était mis à piétiner, à souffler sa colère par ses naseaux percés, soulevant la poussière de l'enclos. La pauvre Etna avait continué d'avancer, faisant montre d'une grande bravoure. Finalement, le taureau avait baissé son front gigantesque avant de charger et d'embrocher la jeune fille sur ses longues cornes sinueuses. Aveuglé par le sang qui coulait du cadavre empalé, il s'était mis à trotter au hasard pendant de longues minutes tout en secouant la pauvre Etna comme un pantin encombrant.

Indelicato Paternostro dut appeler ses hommes à la rescousse. L'infortunée faisait peine à voir quand ils finirent par la libérer et l'emmenèrent à l'hôpital où nous l'avions vue. Il était trop tard, bien entendu. Personne ne pouvait plus rien pour elle. Mon frère avait donc perdu deux de ses filles à cause du même faux curé. Aucun d'entre nous ne sut trouver les mots pour le consoler.

Chapitre quarante-quatre

Le lendemain matin, on enterra la pauvre Etna. Je m'occupai du buffet. Cela m'évita de trop réfléchir.

L'ambiance était horriblement pesante dans notre plus grand salon ; une pièce que nous n'utilisions presque jamais en dehors des funérailles. Tandis que je servais le café et les pâtisseries – des petits gâteaux aux amandes, à la cannelle et à l'eau de rose, des beignets à la graine de fenouil, des bouchées à la pistache –, me revenaient en mémoire d'autres cérémonies funèbres, d'autres buffets, d'autres douleurs. Nous ne savions que dire aux parents, Giuseppe et Pervinca. Alors nous ne dîmes rien.

Tout à coup, au milieu de l'assemblée endeuillée, les nouveaux mariés débarquèrent de l'autobus. Ils arboraient une mine radieuse puisqu'ils ignoraient la mort d'Etna. Passer directement d'une lune de miel à une veillée funèbre, c'est très gênant, il faut bien l'avouer.

Quand elle apprit la terrible nouvelle, Biancamaria Ossobucco, toujours aussi émotive, s'évanouit. On dut employer des sels pour la ranimer. Les triplettes l'entouraient en piaillant. Elles voulaient savoir s'ils leur avaient ramené des cadeaux de Taormine. Doda Rospo avait emporté son fendoir à viande, au cas où elle croiserait le faux curé à l'enterrement. Carciofo nous rejoignit discrètement et, profitant de notre distraction, entreprit de gober mes gâteaux. Encore une fois, les choses dégénéraient. Rien ne se passait jamais normalement chez nous.

Le lendemain, deux autres décès s'ajoutèrent à la liste. J'avais l'impression qu'une puissance supérieure nous mettait à l'épreuve pour savoir quelle somme de malheurs nous étions capables d'endurer.

Tout d'abord, la nouvelle nous parvint de l'hôpital que Betsabea Calzone était morte de la rage. C'était d'autant plus choquant que deux jours auparavant, elle respirait la santé. Sa maladie s'était aggravée durant les quelques heures où le suicide de la petite Etna nous avait tous plongés dans l'affliction. Touchée par des crises de paranoïa, des hallucinations, elle n'arrêtait pas de baver, de pleurer. La vue de l'eau la mettait dans tous ses états. Après une phase délirante, elle était tombée dans le coma puis avait expiré. Le Padre Goffredo qui l'avait assistée jusqu'à la fin en fut grandement secoué. Et pourtant il avait vu des tas de morts au cours de sa carrière.

C'était bien triste mais au moins Betsabea Calzone n'avait-elle ni mari ni enfants. En revanche, ma belle-sœur Pervinca, la deuxième victime de la journée, laissait derrière elle Giuseppe et cinq gosses à élever. Il lui arriva une chose très étrange. Après la fuite de son aînée avec le curé qui n'en était pas un et le suicide de sa cadette empalée sur les cornes d'un taureau, Pervinca avait perdu le goût de vivre.

Alors le sol s'entrouvrit et l'aspira. C'est aussi simple que cela.

D'abord, personne ne réagit. Giuseppe vit la chose se produire sous ses yeux. Lorsque la terre se referma sur sa femme, il se jeta à quatre pattes et se mit à creuser à mains nues comme un fou pour la dégager. D'autres témoins coururent chercher des pelles, des bêches, tous les ustensiles possibles et imaginables. Ils joignirent leurs efforts mais en vain. Plus tard, on fit venir le tracteur dans l'espoir de récupérer au moins son cadavre. Peine perdue : on ne retrouva jamais la trace de Pervinca.

Cela se passa sur le grand terrain vague où se déroule *la festa* chaque année et où, chaque année, il pleut des crapauds. Certains prétendent que le sol est ensorcelé. C'est peut-être vrai. Pour ma part, je ne crois pas à ces choses-là. Giuseppe y fit ériger un monument. Il y est toujours et tous les ans, quand vient l'époque de *la festa*, nous avons une pensée pour la pauvre Pervinca.

Peu de temps après, Giuseppe épousa Sophia Baci. Quand ils vinrent me parler de leur projet, je tombai des nues. Jamais je n'aurais imaginé ces deux-là ensemble. Elle avait passé tant d'années à honorer la mémoire de Bartolomeo que je la voyais finir vieille fille. À un moment, j'avais cru qu'elle se mettrait avec Mauro mais rien de tel ne s'était passé. Guiseppe était si rude et elle si raffinée. Mais il paraît qu'avant son mariage forcé avec Pervinca, mon frère s'était entiché de Sophia Baci.

Ainsi donc, Sophia devint ma belle-sœur. Elle que j'avais toujours admirée, je me mis à l'aimer. Elle adopta les cinq orphelins qu'elle éleva comme ses enfants. Elle les nourrissait bien, entretenait parfaitement son garde-manger et sa cuisine. Elle apporta également toutes sortes d'améliorations à la maison. À la suite de quoi, elle rajouta un petit dernier à la fratrie. Cela m'étonna fort, car je la croyais trop vieille pour cela. Sophia a mon âge et moi, je ne peux plus en avoir. Cela ne fait que confirmer ce que je répète toujours : quoi que vous ayez vécu par le passé, la vie vous réserve toujours des surprises.

PESCE

(Poisson)

Chapitre quarante-cinq

Mais revenons à l'époque dont je parlais auparavant. Nous étions à la fin de l'été. Les pluies arrivèrent plus tôt que d'habitude. Je regrette d'avoir à le dire mais je n'étais pas dans mon assiette. Je me sentais mélancolique. Rien ne m'intéressait assez pour me remonter le moral.

C'était d'autant plus alarmant que même la cueillette des champignons me laissait de glace, alors que c'est l'une de mes activités préférées. Normalement, je passe presque tout l'automne à ramper dans les sous-bois et à grimper aux arbres, où poussent les champignons les plus fins. Cette année-là, je dus tenter ma chance une ou deux fois et bien que mon panier s'ornât de très beaux spécimens au retour, je n'en ressentis aucune joie véritable.

Parfois, quand Mamma abandonnait le fauteuil en velours du salon pour passer quelques instants dans la *cucina,* je l'entendais murmurer. Oui, dans ces moments-là, elle critiquait mon comportement. Elle disait que je me prenais en pitié, qu'elle ne m'avait pas élevée comme cela.

Biancamaria Ossobucco mettait ma tristesse sur le compte de la ménopause, comme Betsabea Calzone l'avait fait avant sa mort soudaine et atroce. Elle avait sans doute raison.

Biancamaria Ossobucco était enceinte. À l'âge de quarante-huit ans, j'allais donc avoir un petit frère ou une petite sœur, ou plusieurs à la fois car Biancamaria Ossobucco affichait un tour de taille impressionnant alors qu'elle était encore loin du terme. Tout en caressant son ventre rebondi, elle me confia qu'elle tremblait à l'idée de donner le jour à des jumeaux siamois, comme ses premiers maris. J'avais beau la rassurer, elle n'en démordait pas.

Pour la galerie, j'affichais un air enjoué et pourtant même cette naissance annoncée n'allégeait pas mon cœur. La cause de cette déprime n'était autre que l'Inglese.

Je repensais à ce bel été enfui. Peu après son retour, il avait plu à verse. Il m'avait attirée dehors pour que je sente la pluie sur ma peau. Nous avions dansé dans la cour ; les grosses gouttes nous martelaient le dos ; nous avions fait l'amour debout, contre le mur, sous la treille, le visage dégoulinant de pluie, les cheveux et les habits trempés. Nous nous aimions avec une telle force. Quand j'y repense aujourd'hui, quelque chose en moi se contracte encore de plaisir.

À présent, l'averse tombait dans la cour mais ce n'était plus la même. Elle était froide. Il faisait sombre. Et l'Inglese était parti. Comme un automate, je beurrais mes tartines tièdes, je les glissais entre mes dents, je mâchais, j'avalais. Cela ne me procurait aucun plaisir.

Il était reparti. Là se nichait mon problème. Nous avions connu tant de bons moments, cet été. Et voilà que de nouveau, je me retrouvais seule. Tel était mon destin.

Il avait promis de revenir. Et je le croyais. S'il ne se faisait pas tuer, bien sûr (je refusais catégoriquement d'envisager cette possibilité). Donc, oui, il reviendrait. Un jour. La fois d'avant, son absence avait duré près de quatre ans. Devrais-je attendre encore quatre longues années ? Connaîtrais-je cette mélancolie pendant quatre ans ? Après cela, il reviendrait, nous nous aimerions et, avec de la chance, nous vivrions des moments de bonheur, de joie, de folie, d'insouciance. Et ensuite, il repartirait. Encore. Et encore.

Était-ce bien ainsi que j'envisageais ma vie ?

Au fond de mon cœur, je savais que non. Je voulais davantage. Mais quoi ? Cela, je l'ignorais.

Chapitre quarante-six

J'avais du boulot par-dessus la tête. Jamais je n'ai été aussi occupée que cet automne-là. Je passais mes journées dans les champs à moissonner. Après, quand vint l'époque des *vendemmie*, nous restions des heures au milieu des vignes, à cueillir le raisin. Quelques semaines plus tard, il fallut récolter les olives. Il y en avait à foison. De l'aube au crépuscule, nous secouions les arbres avec des râteaux pour recueillir les fruits dans les bâches déployées en dessous. Durant les nuits froides et brumeuses, nous nous activions autour de la presse. Comme je n'avais pas le temps de cuisiner, le souper se résumait à quelques quignons de pain rustiques imprégnés d'huile nouvellement pressée. Un délice.

Je travaillais aussi dur que les ouvriers. Aucun obstacle ne m'arrêtait. J'étais épuisée et je n'avais ni le temps ni l'énergie de me morfondre.

Bien sûr, je ne pouvais pas éviter Mauro. Je faisais mon possible pour ne pas rester seule avec lui. Depuis la noce et sa folle nuit avec Aventina Valente, une gêne s'était installée entre nous, comme un parasite. Nous étions devenus étrangers l'un à l'autre.

Cela m'attristait. Je n'avais pas l'intention de me fâcher avec lui. Avant, je nous croyais amis, j'aimais l'entendre plaisanter, raconter des bêtises sur les uns et les autres. J'aurais aimé prendre des nouvelles de sa mère, qui me manquait, mais quelque chose m'en empêchait. Parfois je surprenais son regard noir posé sur moi. Il y avait dans ses yeux une lueur bizarre que je ne comprenais pas.

Les jours passèrent de la sorte, puis les semaines. La douleur de l'absence se calmait peu à peu, j'acceptais le sort qui m'était dévolu. À Palerme, son départ m'avait anéantie ; il n'avait pas donné d'explication, il était parti, point. J'avais mis le feu à l'immeuble, j'avais failli mourir dans l'incendie. Ma vie tournait en rond, comme emportée dans un cercle absurde. Je ne voulais pas qu'il en soit ainsi.

S'en furent les journées froides et pluvieuses consacrées à la cueillette des olives. Une fois l'huile pressée, nous obtînmes des centaines de jolies bouteilles remplies de liquide vert, dont une partie était destinée à la vente, car notre huile est très recherchée et nous rapporte pas mal d'argent. Le reste servait à notre consommation personnelle. C'était bon de voir notre labeur récompensé et notre belle récolte à l'abri des intempéries.

Puis arriva le 2 novembre, jour des *Murticieddi*, où nous fêtons les morts. Comme d'habitude, je passai beaucoup de temps à confectionner les fruits en *pasta reale* que les enfants découvrent sous leur oreiller, au matin.

Mauro était allé à Saluci, sur la tombe de son père Filippo, avec sa Mamma. En fait, je ne le sus qu'à son retour. Naturellement, je me rendis moi-même au cimetière pour honorer nos morts. Sous la pluie, les sépultures récentes de Guerra et Pace, Etna, Pervinca et Betsabea Calzone se dressaient dans toute leur impressionnante austérité. Cinq morts depuis les derniers *Murticieddi.* C'était trop. Je me recueillis sur les tombes plus anciennes, celle de Mamma et le sépulcre vide de Filippo. Mauro avait de la chance de disposer d'une sépulture bien réelle. Une tombe vide, ce n'est pas bien.

Chez nous, le jour des morts n'est pas empreint de tristesse. C'est un moment joyeux où chacun se souvient avec affection de ses chers disparus et remercie le ciel de les avoir connus. Mais la pluie tombait sans discontinuer, un vrai déluge, faisant redouter d'autres glissements de terrain. Je dois dire que mon cœur était aussi gris que le ciel. Novembre est toujours si monotone. Il faisait si froid, si sombre. J'étais gelée jusqu'aux os et bien qu'il fût encore tôt, à mon retour du cimetière, je décidai de monter me coucher, l'âme en peine.

Chapitre quarante-sept

Cette nuit-là, celle des *Murticieddi,* je fis un rêve étrange. Mauro marchait dans son sommeil. Il m'avait dit qu'il était somnambule. Dans mon subconscient, je devais m'en souvenir car je l'ai vu entrer endormi dans ma chambre.

Il revenait de Saluci. Je le sentis se glisser dans mon lit, près de moi, et comme ce n'était qu'un rêve, je me lovai contre lui. Vous savez que mon lit est petit et que Mauro est grand. Dans le rêve, il ne voulait pas rester seul car il revenait du cimetière. Je le comprenais. Ayant moi-même visité plusieurs tombes dans la journée, je n'avais pas plus que lui envie de rester en tête à tête avec les morts.

Je me blottis au creux de son aisselle, son bras s'arrondit autour de mes épaules et il me serra contre lui. Je me réfugiai sur sa poitrine très velue. J'étais nue, chose inhabituelle l'hiver où je dors toujours en chemise de nuit de flanelle. Je reniflai son odeur sucrée ; vous savez combien j'aime son odeur. Dans mon rêve, son corps était chaud et confortable. Sans être gros, Mauro est loin d'être un sac d'os. C'était bon de sentir nos deux corps tièdes enlacés sous les couvertures, d'autant plus que dans la chambre il faisait si froid que nos souffles se changeaient en buée dès qu'on sortait le nez des couvertures. J'avais l'impression de séjourner sur une île tropicale, bien loin de la mort et des frimas.

Dans le rêve, nous ne parlions pas car le moment ne s'y prêtait pas. Je me sentais minuscule, ainsi lovée sur son épaule et pourtant, le petit lit en fer gémissait sous notre poids. À chaque instant, à chaque mouvement, il vibrait.

Soudain, ses grandes mains se mirent à me caresser. Comme ce n'était qu'un rêve, je leur permis de se promener sur les collines et les vallons de mon corps. Je sentais son contact sur ma peau et en même temps au-dedans de moi. Ses caresses produisaient comme des rides au fond de mon ventre, pareilles à la délicate pellicule sucrée qui recouvre le *bianco mangiare* et qui se plisse quand vous y passez le doigt. Voilà ce que je ressentais à l'intérieur.

Et comme ce n'était qu'un songe, je me laissai aller. Je savais qu'au petit matin, ce rêve idiot me ferait grimacer de dégoût. Alors, je laissai mon corps répondre à l'appel du sien. Son grand corps solide, tiède, doux et parfumé, mes doigts le parcouraient de haut en bas, de bas en haut, faisaient le tour, s'arrêtaient, revenaient. Dans la nuit noire, mon cerveau apprenait de mes doigts des choses proprement stupéfiantes.

À un moment, je cessai de penser pour ne plus faire que ressentir. Il y eut des murmures, des soupirs, des noms chuchotés et soudain, un plongeon, comme lorsqu'on saute dans une eau profonde et cristalline, un jour de canicule. Je perçai la surface, m'enfonçai puis, telle une bulle d'air, je remontai et jaillis comme une sirène dans une explosion d'étoiles. Au même instant, je sentis une forte secousse. Le lit s'était cassé en deux.

J'entendis des cris. Ces cris sortaient de ma bouche mais pas seulement. Quelqu'un d'autre criait à côté de moi. Un homme. D'habitude, quand on rêve et qu'on se réveille, le rêve se termine. Si on s'est couché seul la veille au soir, on se réveille seul. Moi, j'avais quelqu'un dans mon lit. C'était Mauro, et il ronchonna :

« Que se passe-t-il ? Un tremblement de terre ? »

Un torrent de honte se déversa dans mon esprit. Je dis :

« Mais ce n'était qu'un rêve. C'est impossible. Ce n'est pas vrai, n'est-ce pas ? »

Tout à fait réveillé cette fois, Mauro renchérit :

« Rosa ? C'est bien toi ? Où suis-je ? Je ne comprends pas. »

Une partie de moi redoutait d'allumer la lampe, refusant de voir la vérité en face. Lui et moi, nus dans un lit. Je cherchai quand même l'interrupteur à tâtons. La lumière révéla Mauro, en tenue d'Adam, assis de guingois sur les montants brisés de mon lit. Comme j'étais aussi nue que lui, je saisis les couvertures et m'en drapai. J'étais furieuse.

Je me levai et, de toute ma hauteur, déclarai :

« Qu'est-ce que cela signifie ?

— Je n'en sais rien. »

Les yeux plissés à cause de la lumière vive, il regardait autour de lui, l'air sincèrement abasourdi.

« Je rêvais. J'ignore comment je suis arrivé ici. Je ne me rappelle pas.

— As-tu bu ?

— Non. Et toi ?

— Moi ? Bien sûr que non. Je rêvais. Si j'avais su une seconde que c'était vrai…

— Alors quoi ? »

Il grelottait. J'avais pris les seules couvertures disponibles. Il avait la chair de poule ; son corps massif était criblé de petits points bleus. Quant à moi, je ne sentais pas le froid : la rage et la honte me brûlaient les joues.

« Cela n'aurait jamais dû se passer.

— Ah bon ?

— Non. Évidemment.

— Mais ça s'est passé. On ne peut pas revenir en arrière.

— J'aime un autre homme.

— Oublie-le. Écoute. C'est incroyable. Le destin nous pousse l'un vers l'autre. J'ai dû faire une crise de somnambulisme. Je ne sais pas du tout comment j'ai pu arriver jusqu'ici. Je marche en dormant. Il paraît que ça m'arrive. Toi aussi, tu connais cela. Je t'ai vue. Tu ne peux pas le nier. Voilà ce qui s'est passé. Je traverse toute la ferme, je monte dans ta chambre, je rêve que je te fais l'amour. Au même instant, tu rêves que tu me fais l'amour. Sauf que c'est vrai. Ce n'est pas un rêve. Ou alors un rêve devenu réalité.

— Pas du tout. Ce n'est pas un rêve. C'est un cauchemar.

— Un cauchemar ? fit-il offensé. Tu oses parler de cauchemar ? Ce n'était pas magnifique ? Tu n'as pas aimé ?

— Je dormais, je te dis. Quand on dort, on fait des choses qu'on ne ferait jamais dans la vraie vie. Je n'arrête pas de rêver des trucs absurdes, cela ne signifie pas que j'ai envie que ces trucs m'arrivent vraiment. C'était une erreur, d'accord ?

— Pour moi, ce n'était pas une erreur. J'ai rarement vécu une chose aussi extraordinaire.

— Ne sois pas ridicule. Ce n'était qu'un rêve. Oublie. Et va-t'en.

— Il fait si froid. Si on se remettait au lit ?

— Sors d'ici immédiatement. »

J'étais partagée. D'un côté, j'avais envie de sauter dans mon lit brisé pour me lover au creux de ses bras, de l'autre je me retenais de l'assommer à coups de poing. Finalement, mes paroles firent leur effet. Il se leva, chercha ses vêtements et les enfila. Ni lui ni moi ne prononçâmes plus un seul mot. Quand il partit, il laissa derrière lui un vide aussi douloureux qu'une blessure.

Sachant que je ne me rendormirais pas, je m'habillai moi aussi et, quand je fus certaine qu'il avait quitté la maison, je descendis à la *cucina*. Betty se tourna vers moi pour hurler :

« Qui c'est, la méchante fille ? Méchante fille. Méchante fille. Méchante fille. »

Je savais qu'un jour, je relâcherais Betty dans la nature. Mais ce jour n'était pas encore arrivé. Il faisait si froid que mes dents s'entrechoquaient. Je me dépêchai d'allumer le feu puis je préparai du thé, histoire de retarder le plus possible le dialogue intérieur que je sentais poindre en moi.

Comme on peut s'y attendre, après m'être brûlé la langue avec le thé, je versai un plein sac de farine sur la table, ajoutai de la levure diluée et commençai à pétrir.

Récapitulons. J'avais fait l'amour avec mon frère (ce Don Juan à la morale douteuse) pendant que je dormais à poings fermés. J'avais profité de l'absence de l'Inglese, parti en mission top secret je ne sais où pour le compte du FBI. Je l'avais trompé. C'était lamentable.

« Honte à toi », cracha Betty comme si elle lisait dans mes pensées.

Certes, j'avais honte comme rarement j'avais eu honte dans ma vie.

Chapitre quarante-huit

Après cette mésaventure, je vécus des temps difficiles. Je me souviens de cette période comme d'une longue étendue solitaire et glaciale. Plus que jamais, je tenais Mauro à distance tout en faisant comme si rien ne s'était passé entre nous. Mes pensées restaient tout entières tournées vers l'Inglese. Il me manquait, je me demandais où il était, quand il reviendrait tout en devinant qu'il referait surface au moment où je m'y attendrais le moins.

Le lendemain des *Murticieddi*, nous célébrons l'anniversaire de la naissance du compositeur Vincenzo Bellini. Par tradition, je prépare des quantités phénoménales de *pasta alla norma* pour toute la famille. Cette année, je ne me sentais pas d'humeur festive et je ne voulais pas croiser le regard de Mauro.

Le matin, je débarrassai ma chambre des débris de mon petit lit, espérant ainsi tirer un trait sur les désordres de la nuit. À sa place, je mis le grand lit que Mamma avait partagé avec Filippo puis Antonino Calabrese et les prétendants qui avaient défilé à sa suite. Ce meuble était dans la famille depuis Garibaldi.

Durant les froidures de décembre, nous avons une ribambelle de fêtes à célébrer. La première est l'*Immacolata Concezione* avec sa procession de jeunes filles. Cette année, je n'y participai pas. Dans mon cœur, j'abritais une sangsue nommée culpabilité.

La semaine suivante, vient la *festa* de *Santa Lucia* associée à la *cuccia*, cette bouillie de blé que nous confectionnons pour remercier la sainte d'avoir sauvé nos ancêtres de la famine.

On commence trois jours à l'avance par le trempage des grains de blé, en changeant l'eau toutes les douze heures sinon elle stagne, prend une mauvaise odeur et le blé tourne à l'aigre. Après ces trois jours, on verse les grains dans une passoire puis on les fait bouillir dans une grande casserole d'eau salée. Ils doivent cuire jusqu'à devenir mous ; pour cela il faut bien deux heures, voire plus. Quand c'est fait, on jette l'eau, on laisse refroidir et pendant ce temps, on prépare la crème blanche.

On mélange de la fécule de blé avec un peu de lait. On verse le reste du lait par petites quantités en remuant pour éviter les grumeaux. Puis on ajoute du sucre et on fait épaissir le mélange sur le feu en prenant garde à ce qu'il n'attache pas. Ensuite, il faut retirer la casserole, incorporer le zeste de citron, laisser le parfum infuser et la crème refroidir.

Quand elle est froide, il se forme parfois une peau à la surface, une fine et douce pellicule caoutchouteuse. J'aime passer mon doigt dessus car elle forme alors des petites rides. Parfois, j'ai l'impression que ma chair est constituée de cette matière, surtout quand j'imagine le retour de l'Inglese. Il me prend dans ses bras, me soulève et nous basculons sur la table, au milieu des grains de blé. Dans notre hâte, nous laissons la crème au citron se répandre sur nos vêtements.

Lui parlerai-je du regrettable quiproquo entre Mauro et moi ? Non, bien sûr que non. J'emporterai cet incident dans la tombe. Passerai-je toute ma vie à attendre le retour de l'Inglese ? Sur ce point, j'aurais aimé répondre non, mais je n'étais sûre de rien.

Tout en rêvassant, je mélangeai les grains de blé refroidis et la crème blanche, je remplis des coupes puis je saupoudrai dessus un peu de cannelle et quelques copeaux de chocolat, pour décorer.

Biancamaria Ossobucco était si énorme qu'elle avait du mal à passer par la porte. Je la regardai se goinfrer de *cuccia*. Quand elle finissait une coupe, sa main grassouillette se tendait vers une autre. Elle me dit :

« Rosa, *cara*, tu veux qu'on en parle ? »

Et je répondis, d'un ton las : *« Cara, no. »*

Je n'ai jamais aimé discuter de ces choses-là.

Chapitre quarante-neuf

Peu après la *Santa Lucia*, vient l'époque des *nucatoli*, les biscuits de Noël fourrés aux amandes et au miel. La coutume veut que l'on offre ces douceurs aux amis et aux voisins. Chaque année, j'en prévois en grande quantité car tous les habitants de la vallée attendent leur paquet. Il n'y a pas de *natale* sans les *nucatoli* de Rosa.

Petit secret de fabrication : je prépare la pâte la veille pour qu'elle repose. Je crois que c'est ce qui rend mes biscuits si délicieux. Il faut prendre son temps ; biscuit vite fait, biscuit raté.

Donc, vous prenez de la farine, le saindoux qu'il vous reste du dernier cochon égorgé, un peu de sucre et de bicarbonate de soude, et vous mélangez le tout d'une main légère car si vous y allez trop fort, la pâte se tassera. Ensuite, vous couvrez et vous laissez reposer le temps de décider lequel de vos cochons vous abattrez bientôt. Est-ce que ce sera Roberta ? Ou bien Felice avec sa croupe rebondie et ses adorables joues hérissées de soies ?

Après, on décortique les amandes – les triplettes sont devenues expertes en la matière car elles aiment donner un coup de main en cuisine. Une fois débarrassées de leur coquille, faites-les griller dans une casserole. L'odeur des amandes qui grillent m'évoque irrésistiblement les fêtes de Noël. Puis on les écrase au pilon dans un mortier. Ne ménagez pas votre peine, broyez vos amandes jusqu'à ce que la sueur vous coule du front, même au cœur de l'hiver. Broyez jusqu'à ce que votre main et votre bras vous fassent mal. N'arrêtez pas avant d'avoir obtenu une poudre aussi légère que de la chapelure.

Ensuite, mélangez une bonne quantité de miel avec un peu d'eau, portez à ébullition, ajoutez la poudre d'amandes et remuez jusqu'à ce que la pâte ainsi formée ne colle plus aux parois de la casserole. Cette mixture doit être assez ferme pour ne pas s'écouler des biscuits durant la cuisson. Laissez le miel et la pâte d'amandes refroidir et reposer toute la nuit.

Le lendemain, étalez votre pâte sur un linge fin. Coupez-la en lanières rectangulaires. Confectionnez un étroit boudin de pâte d'amandes de la même longueur, déposez-le sur une lanière et rabattez la pâte autour. Fermez le rouleau ainsi obtenu en humidifiant les bords et en les pressant fermement l'un contre l'autre, sinon il risque de s'ouvrir dans le four. Il ne vous reste plus qu'à diviser ce rouleau en tronçons et à modeler ces derniers en forme de « s » que vous déposerez sur la plaque du four. Avec un couteau bien affûté, pratiquez de petites entailles dans les « s », afin de leur donner la forme du « chien à huit pattes », comme on dit chez nous.

Une fois que vous avez enfourné les biscuits, il se peut que vous regardiez négligemment par la fenêtre embuée, en vous demandant où va la vie. Mais ne les laissez pas brûler, ils doivent être brun doré, pas plus.

L'étape suivante est celle du glaçage. Là non plus, il ne faut rien précipiter : un glaçage parfait peut prendre une demi-journée. Mélangez le blanc d'œuf avec du sucre glace. Écrasez le tout dans votre mortier. Faites cela lentement, de manière à obtenir un glaçage épais, assez collant et ferme pour tenir entre le pouce et l'index.

Quand les biscuits ont assez refroidi, répandez du bout du doigt une légère couche de glaçage sur chacun, en suivant bien les contours pour que toutes les pattes du chien soient enduites. Attention, ne faites pas déborder le glaçage ; c'est une erreur de débutant qui gâche la présentation.

Enfin, quand le glaçage est presque sec, garnissez les biscuits d'une pincée de cannelle en poudre et d'un éclat de pistache.

Et voilà, vos *nucatoli* sont prêts. Vous n'avez plus qu'à les placer dans des petits sachets et à les offrir à vos proches. Les triplettes adorent les distribuer. Elles disent aux heureux bénéficiaires qu'elles les ont fabriqués elles-mêmes, avec l'aide de Zia Rosa mais à peine.

CARNE

(Viande)

Chapitre cinquante

Natale est une période douce-amère pour moi car c'est l'anniversaire de la mort de Mamma. Ce jour-là, mes frères m'avaient accusée d'avoir assassiné notre mère. C'est une chose que je n'oublierai jamais. Je crois que la plupart des gens feraient de même.

Le Nouvel An passa puis *Befana*, quand la vieille femme apporte des cadeaux aux petits enfants en se déplaçant dans les airs sur son balai. C'est une saison morte, à la ferme. Mis à part la taille des arbres et des pieds de vigne, on n'a presque rien à faire lorsque les jours sont courts et les températures basses.

Quand on arrive au cœur de l'hiver, c'est le moment de tuer un cochon ou deux. Comme il fait froid, la viande restera saine le temps qu'on la sale, qu'on la fume et qu'on la traite pour la conserver. Un matin, le ciel était couleur violette. J'entrai dans la porcherie. Mes amis les cochons me saluèrent avec moult grognements et coups de groins affectueux. Sous leurs pieds, le fumier frais déposé parmi la paille fumait dans l'air gelé, dégageant une odeur âcre. Je leur grattai la couenne, je les chatouillai, pinçai ici, tapotai là, tout en les jaugeant avec l'œil du boucher. De toute évidence, l'heure était venue pour Roberta d'honorer notre table.

Tout d'abord, je posai le chevalet dans la cour, aiguisai mes couteaux et préparai ma grande scie, mon grattoir, mon crochet, les seaux ébouillantés dans lesquels je collecterais le sang entrant dans la composition de mes fameux boudins, et diverses bassines où mettre le gras, récupérer les boyaux et autres viscères.

Le lendemain matin, après avoir avalé un solide petit déjeuner – car j'allais passer toute la journée à besogner dans le froid –, je mis sur le feu de grandes quantités d'eau, enfilai mes bottes, mon tablier en caoutchouc et attachai mes cheveux. Inutile de vous dire que j'avais passé des sous-vêtements d'hiver bien épais, ceux-là même que cette peste de Costanza avait aperçus par accident à la bibliothèque, un jour que j'enlevais mes bottes d'un geste trop vigoureux. Mon souffle et celui de Roberta formaient des nuages de vapeur. Elle trottait joyeusement à mes côtés, attirée par la promesse d'une friandise qu'elle n'aurait pas à partager.

J'allais enfoncer le coutelas dans sa gorge lorsqu'une voix retentit dans mon dos :

« Buongiorno, signorina. »

D'abord, je crus que Betty s'était échappée de la *cucina*. Comme j'étais penchée sur le cochon, la tête en bas, je jetai un coup d'œil derrière moi entre mes jambes écartées. C'était l'Inglese. Il était revenu. Encore. C'était si bon de le voir, bien qu'il fût à l'envers. Ses belles chaussures pataugeaient dans la boue, ses yeux bleus pétillaient. Certes, je n'étais pas à mon avantage. Du sang tiède m'avait giclé au visage ; mon tablier et mes bottes de caoutchouc n'avaient rien d'élégant. Mais que pouvait-on y faire ?

« Tu tombes pile, dis-je. Vite, tiens-moi ce baquet, veux-tu ? »

D'un pas allègre, il se dirigea vers nous en foulant la paille boueuse. Accroupie devant le cochon, le coutelas bien en main, je plantai ma lame au niveau du sternum. Poussant encore un peu plus loin, je sectionnai l'artère. Le sang jaillit. Mais au lieu de me présenter le baquet, l'Inglese s'écroula sur la paille, évanoui. J'eus un instant de panique en songeant à tout ce bon sang qui risquait de se perdre. Une seconde plus tard, je vis des mains se tendre, attraper le seau et le placer sous la fontaine écarlate. C'était Mauro.

« Que le ciel nous vienne en aide, ricana-t-il. La femmelette est de retour. »

Certes, il était revenu mais pas au bon moment parce qu'une fois le cochon tué, il reste des tas de choses à faire. Le genre de choses qui n'attendent pas. Quand nous eûmes recueilli tout le sang de Roberta dans les seaux, nous fîmes une courte pause, le temps de transporter l'Inglese dans la *cucina*. Ce faisant, nous maculâmes ses vêtements de sang, mais comment faire autrement ? Nous l'assîmes près du fourneau et je lui versai de la *grappa* pour qu'il se remette. Il était faible, un peu confus. De son côté, Mauro ruminait sa désapprobation. Il sortit dans la cour plusieurs cruches d'eau bouillante pour commencer le grattage. Proche de l'extase, Betty entama le « God save the Queen ». J'aurais bien aimé rester auprès de l'Inglese mais j'avais du pain sur la planche.

J'ignorais que Mauro était expert dans le maniement du crochet de grattage. Quand je le rejoignis, il était déjà en train d'ébouillanter la bête et de gratter les soies. Nous travaillâmes de concert, en silence, car ni lui ni moi n'avions besoin de parler pour savoir quoi faire. Le grattage est une tâche longue et minutieuse, d'autant plus que Roberta était un beau spécimen. L'opération nous prit des heures. Quand enfin la peau fut bien blanche et glabre, Mauro plongea les pieds du cochon dans une marmite d'eau bouillante et, à l'aide du crochet, arracha les ongles l'un après l'autre. Pendant ce temps, je me dépêchai d'aller prendre des nouvelles de l'Inglese. Il devait se sentir un peu ridicule de s'être ainsi évanoui car je l'ai trouvé en pleine conversation avec Betty. D'un geste aristocratique, il me fit signe de disposer.

Ayant terminé le nettoyage des pieds, Mauro pratiqua des incisions dans les tendons des postérieurs pour pouvoir accrocher la carcasse à l'envers. Je pris la grande scie et je tranchai le sternum. Puis, ensemble, nous hissâmes Roberta sur le chevalet. Il détacha la tête, la plaça dans la saumure tandis que de mon côté, je détourais l'anus et le nouais avec une ficelle pour l'empêcher de fuir. Puis, m'emparant du coutelas, je découpai la bête tout du long, en retenant les entrailles de la main gauche. Ensuite, je plaçai une grande bassine en dessous et je les laissai choir.

Mauro nettoya la carcasse en balançant des seaux d'eau froide à l'intérieur. Pour qu'elle ne se referme pas, nous la maintînmes béante en la coinçant avec des bouts de bois avant qu'elle ne devienne rigide. Le jour baissait. Je n'avais pas encore réalisé à quel point j'étais courbaturée, à force de me pencher, de m'agenouiller, de m'étirer. Tout cela dans le froid. Soudain, je me souvins de l'Inglese et aussitôt, une chaleur monta en moi à la pensée de la nuit qui m'attendait.

Chapitre cinquante et un

J'étais allongée dans un bain chaud. Assis à l'autre bout de la baignoire, l'Inglese me massait les pieds. Il avait disposé des bougies un peu partout dans la pièce. Leur lueur vacillante projetait sur les murs des ombres dansantes, fantasmagoriques.

J'avais du sang de cochon jusque dans les cheveux. Des soies flottaient à la surface de l'eau. C'était bon de se sentir propre. Et pourtant mon corps était perclus de douleur, comme celui d'une vieille femme.

« Je t'ai manqué ? demanda-t-il.

— Bien sûr, répondis-je. C'était très triste ici sans toi.

— Bien.

— Bien ? Pourquoi est-ce bien ?

— Je veux dire, tu es contente de me voir de retour.

— Oh, ça oui, je suis contente », m'exclamai-je. Mon corps s'ouvrit, l'eau tiède me pénétra.

Je me mis debout. L'eau ruissela sur ma peau et retomba en cascades dans la baignoire.

« J'aime ton corps quand il est mouillé, dit-il. Il a quelque chose d'incroyablement sensuel. »

Il colla sa langue sur moi et suivit le cours des petits ruisseaux qui faisaient luire ma peau. Pour la première fois de l'hiver, ma chair et mon esprit connurent le dégel.

Nous nous précipitâmes dans la chambre. Nous allions nous mettre au lit quand l'Inglese remarqua qu'il avait grandi. Je sentis mon visage s'empourprer.

« J'ai pensé qu'il était temps que nous ayons un vrai lit d'adultes », expliquai-je en tâchant de conjurer les images de la nuit où mon petit lit avait succombé aux poids combinés de Mauro et de moi-même.

Nous fîmes l'amour plusieurs fois. Son corps fit subir au mien des choses délectables.

Entre deux étreintes, j'entendis ma voix prononcer les mots suivants :

« Où va-t-on comme ça ? »

J'aurais préféré tenir ma langue, franchement, car je n'avais pas la moindre envie de connaître la réponse.

L'Inglese répondit pourtant :

« On se marie. »

J'étais loin de m'y attendre.

« Vraiment ?

— Mais oui. »

Il roula du lit et s'écrasa par terre.

« Merde, je crois que je me suis cassé la jambe. Mais peu importe. Je veux te faire une demande en bonne et due forme. À genoux : Rosa Evangelina Fiore. Veux-tu m'épouser ? Veux-tu être ma femme ?

— Oui, m'entendis-je répondre. Oui, Pompe Funebri… c'est quoi déjà, ton nom ?

— Peu importe, continue.
— Oui, Pompe Funebri Machin Chose, je veux bien t'épouser. Je serai ta femme. »

Et c'est ainsi, cher lecteur, que nous échangeâmes nos promesses de mariage.

Chapitre cinquante-deux

Quand je me réveillai, le lendemain matin, j'attendis un peu avant d'ouvrir les yeux. Je n'étais pas sûre de ne pas avoir pas rêvé cette histoire : le retour de mon amant, la demande en mariage. Je n'aurais sans doute pas supporté de découvrir que rien n'était vrai. Mais je n'avais pas rêvé. L'Inglese était là, couché près de moi dans le grand lit, endormi. En le regardant, je ressentis un immense élan de tendresse. J'aimais son nez. J'aimais son souffle. J'aimais ses paupières fermées. J'aimais ses lèvres roses entrouvertes. J'aimais sa petite moustache. J'aimais ses cheveux soyeux. Je me fichais qu'il les perde. J'aimais son corps rose et rebondi à l'endroit où il émergeait des couvertures. Nous allions nous marier.

Tandis que je l'observais, il se mit à bouger, à s'étirer.

« Tu étais sérieux ?, demandai-je sans préambule.

— C'est bien possible, mais à quel sujet ?

— Au sujet de notre mariage.

— Bien sûr. Je n'ai jamais considéré le mariage comme un objet de plaisanterie. »

Donc, j'allais devenir une femme mariée. Je renfilai

ma tenue de boucher et passai la journée à dépecer Roberta.

Je salai les deux jolis jambons, le lard maigre. J'en fumerais quelques morceaux quand ils auraient passé dans le sel le temps nécessaire.

Nous ferions rôtir d'autres morceaux comme de la viande fraîche.

Avec le sang et le saindoux, je fabriquai ma mixture spéciale boudin, sans omettre bien sûr de l'aromatiser généreusement avec des graines de fenouil. Je garnis d'autres saucisses de morceaux de viande maigre finement émincés mélangés à de la graisse de porc.

Les pieds, la tête, les éclats d'os et de peau servent à faire du fromage de tête. Comme ils doivent bouillir ensemble pendant très très longtemps, la cuisine se transforme en bain de vapeur mais il n'y a pas moyen de faire autrement. On ajoute du sel, du poivre, de l'ail, des épices – clous de girofle, noix de muscade – et une feuille de laurier ou deux. Puis à travers un tissu de mousseline, on presse le tout dans les bassines à boudin. En refroidissant, le gras monte à la surface et forme comme un couvercle. Ce pâté de tête se gardera longtemps. Pour le consommer, il suffit de le couper en tranches et de le servir avec des légumes au vinaigre ou frais et un gros morceau de pain. C'est goûteux et nourrissant.

Je sais que les gens d'ici adorent les commérages mais je ne comprends pas comment la nouvelle de notre mariage a pu se répandre à la vitesse d'un feu de forêt en plein mois d'août. Ni l'Inglese ni moi n'en avions parlé à âme qui vive. Pourtant, je n'avais pas fini de découper le cochon que les voisins, d'abord individuellement ou deux par deux puis par groupes entiers, défilèrent à la maison pour me féliciter et me présenter leurs vœux de bonheur.

Parmi les premiers, Biancamaria Ossobucco, Rosario et les triplettes vinrent m'embrasser. Comme je m'étonnais de les voir débarquer si vite, Biancamaria Ossobucco me dit :

« *Cara*, je te dois la vérité. Nous aurions préféré que tu épouses quelqu'un d'autre. Mais je n'ai jamais connu de femme aussi sage, aussi sensible, aussi intelligente que toi. Alors, tu es la mieux placée pour choisir l'homme qui te convient. Sincèrement je te souhaite plein de bonheur et j'espère que des bébés viendront bénir votre union. En ce qui me concerne, mes deux mariages m'ont rendue très heureuse... »

Comme de bien entendu, elle fondit en larmes car elle est douce et sensible, et à cause de son état aussi, qui la rendait plus émotive que jamais.

À cet instant, l'Inglese fit son apparition. Elle embrassa et présenta ses vœux de bonheur à l'homme qui allait devenir à la fois son beau-fils et son beau-frère. Après s'être essuyé la main sur son pantalon, Rosario la lui tendit d'un air timide. Les triplettes se mirent à pleurnicher : elles auraient préféré que j'épouse Zio Mauro plutôt que le drôle de bonhomme qui perd ses cheveux.

« Ne vous en faites pas, mes poussins, dis-je pour les rassurer. Je ne m'en irai pas, rien ne changera, votre Zia Rosa restera toujours ici. »

L'Inglese s'éclipsa de nouveau. Quand il revint, quelque temps plus tard, il s'était collé un truc graisseux et luisant sur le crâne.

J'avais les bras enfoncés jusqu'aux coudes dans les viscères de porc que j'avais entrepris de nettoyer pour en faire des boyaux de saucisses, ce qui ne m'empêcha pas de partager avec lui une bouteille de vin nouveau et de trinquer à notre bonheur.

Après, ce fut au tour des ouvriers agricoles de venir nous féliciter. Les moins futés s'emmêlèrent un peu dans leurs propos, ne sachant plus lequel de mes trois soupirants j'épousais.

Suivirent mes frères et leurs familles. À leur mine mi-figue mi-raisin, je vis bien qu'ils désapprouvaient mon choix.

Giuseppe me donna une claque dans le dos en disant :

« Eh bien, qui l'eût cru, hein ? Rosa va se marier. À son âge. »

Sophia, sa femme, lui décocha un regard qui lui coupa le sifflet. En effet, elle avait mon âge, un ventre bien rond et un teint rayonnant.

Mauro fut le seul parmi mes parents à ne pas me présenter ses félicitations. Quand je le vis dans la cour, il se contenta de me dire :

« Ne fais pas cela, Rosa. »

Ensuite, il disparut deux jours durant. Quelqu'un m'apprit qu'il était reparti à Saluci. Je crus ne jamais le revoir.

En tout cas, j'étais fiancée. J'avais un mariage à préparer et pas une minute à perdre ; si certaines personnes trouvaient à y redire, c'était leur problème.

Les jours suivants passèrent dans un tourbillon. Quand j'y repense, c'était comme la fois où je conduisais le camion et que les freins ont lâché. Nous allâmes voir le Padre Goffredo pour décider de la date. Nous convînmes du 1er février 1963, dix jours plus tard. Un peu court mais tant pis, je m'en arrangerais.

Qu'allais-je me mettre ? Je pensais trouver quelque chose de convenable dans ma garde-robe – par exemple, le tailleur rose que j'avais cousu pour la visite du maire à la bibliothèque, au printemps 1955. Ou peut-être cet autre tailleur chic, de couleur bleu marine, que je portais lorsque j'avais des affaires importantes à traiter en ville.

Mais Biancamaria Ossobucco ne m'imaginait pas du tout en tailleur. Elle insista tant que je finis par accepter de les emmener, elle et les triplettes, en camion à Randazzo où venait de s'ouvrir une boutique de robes de mariée. Honnêtement, ces magasins sont tellement sophistiqués de nos jours qu'on ne sait pas très bien ce qu'ils vendent. Avant de pouvoir dire ouf, je me retrouvai dans l'arrière-boutique où la gérante, une signora très imbue de sa personne, me dépouilla de mes modestes vêtements. Comme d'habitude, j'eus honte de mes dessous, mais que pouvais-je y faire ?

« Je suis au courant, déclara-t-elle. Madame épouse un étranger, n'est-ce pas ? »

Je hochai la tête d'un air penaud, comme une écolière prise en faute. Les triplettes étaient déchaînées. Elles se poursuivaient entre les rangées de jupons enveloppés de papier de soie. La signora et sa tremblante assistante m'affublèrent d'une robe longue sertie de perles, d'une tiare de diamants et d'un voile mousseux. Quand je me vis dans la glace, je ne pus retenir mes larmes. La vieille fille mal fagotée s'était métamorphosée en princesse de conte de fées.

L'Inglese insista pour se charger de la préparation du gâteau de mariage. Il comptait nous faire un gâteau à l'anglaise, c'est-à-dire avec des fruits secs, pas le biscuit onctueux dont nous avons l'habitude ici. Il y passa un temps fou et je n'eus pas le droit de le voir, car c'était une surprise.

Lorsque je lui demandai quel jour sa famille arriverait pour la noce, il m'annonça qu'il n'avait pas de famille, qu'ils étaient tous morts. Je trouvai cela fort étrange vu que par ici, tout le monde a de la famille. Et je commençai à me faire du mauvais sang.

Chapitre cinquante-trois

La veille au soir, tous les préparatifs étaient terminés et pourtant je n'avais toujours pas réalisé ce qui m'arrivait. L'Inglese devait passer la nuit en ville chez Biancamaria Ossobucco car tout le monde sait que si les futurs époux se voient au matin des noces, il leur arrive malheur. Biancamaria Ossobucco, Rosario et les triplettes dormiraient avec moi, à la *fattoria*. Il était tard mais je n'arrivais pas à fermer l'œil tant j'étais excitée et, pour tout dire, un peu anxieuse.

Je dus me tourner et me retourner une bonne centaine de fois dans mon lit. Si je ne dormais pas, j'aurais le visage bouffi le jour de mon mariage. Mon mariage. Était-ce bien vrai ?

Puis, en pleine nuit, je vis la fenêtre s'ouvrir et quelqu'un entrer. Mon cœur cessa de battre. C'était un bandit en cavale, un bandit rusé, sans foi ni loi, que rien n'empêcherait d'accomplir son forfait. Du regard, je cherchai un objet pour me défendre mais je n'avais rien sous la main. Cela m'arrive souvent, quand je rêve la nuit, mais au matin, j'oublie systématiquement de cacher une arme dans ma chambre, en cas de besoin.

La silhouette du bandit sauta sur le plancher. Deux solutions s'offraient à moi : hurler ou faire semblant de dormir en espérant qu'il s'en retournerait comme il était venu. Mais il m'appela par mon prénom.

« Rosa, tu es réveillée ? »

Je reconnus la voix. C'était Mauro.

« Qu'est-ce que tu fabriques ? demandai-je en tendant la main vers la lampe de chevet. Tu entres chez les gens par la fenêtre, maintenant ? Pourquoi ne pas passer par la porte comme une personne normale ?

— J'avais peur qu'il soit là, répondit-il.

— Mon fiancé ? Non. Il passe la nuit en ville. Que veux-tu ?

— Il faut que je te parle.

— Eh bien, dépêche-toi, j'ai besoin de repos.

— Ne fais pas cela, Rosa.

— Je t'en prie, ne recommence pas. Je vais l'épouser. Tout est prêt. Le buffet est déjà installé en bas.

— Dans un mariage, ce n'est pas le buffet qui compte, remarqua-t-il.

— J'en suis parfaitement consciente.

— Je voulais juste te dire ceci : je t'aime. Ne l'épouse pas. Épouse-moi.

— C'est lui que j'épouse, affirmai-je pour couper court. Maintenant, fiche le camp et laisse-moi tranquille. À jamais.

— Ne fais pas cela. Nous sommes faits l'un pour l'autre. Tu commets une lourde erreur. »

Je fermai les yeux et fis semblant de dormir. Quand je les rouvris, il était parti. Encore un de mes rêves stupides. Mauro n'était pas entré dans ma chambre par la fenêtre. Grandement soulagée, je me rendormis d'un sommeil profond, parfumé au citron, aussi onctueux que du *zabaglione.* C'est ainsi que le grand jour arriva. Au matin, je sautai de mon lit, fraîche et dispose, tout heureuse à l'idée de me marier.

Chapitre cinquante-quatre

J'étais au matin des noces. Mes noces. Moi qui croyais ne jamais me marier. J'ai enfilé la magnifique robe qui pendait sur le cintre rembourré, accroché à la porte de la penderie, relevé mes cheveux avec des épingles et posé dessus le voile et la tiare. En me voyant ainsi vêtue, Biancamaria Ossobucco se mit à pleurer comme une Madeleine. Je redoutais qu'elle accouche prématurément car je n'avais ni le temps ni l'envie de présider à la naissance d'une deuxième série de triplés, juste avant mon mariage.

Fort heureusement, rien de la sorte n'arriva. Je ne vis pas la matinée passer tellement j'étais nerveuse. Je me retrouvai aux portes de la *chiesa* avant même de réaliser que j'étais partie de chez moi. Les premiers accords de la marche nuptiale retentirent. Je tenais le bras de Rosario et les triplettes ma traîne. J'étais si fière. Il ne manquait plus que la présence de Guerra et Pace pour que mon bonheur soit complet.

Au bout de la nef, l'Inglese m'attendait, vêtu d'une redingote. Même de loin, je voyais qu'il avait encore perdu pas mal de cheveux durant la nuit. Il me rendit mon regard et sourit. Pour l'occasion, Padre Goffredo avait sorti sa belle chasuble spéciale mariage, avec la coiffe dorée. D'un geste du menton, il me signifia d'avancer.

Rosario et moi parcourûmes ensemble les quelques mètres qui nous séparaient de l'autel. De chaque côté, mes proches se bousculaient pour mieux nous voir passer. Ils souriaient, bavardaient entre eux, opinaient du bonnet, me faisaient des signes de la main. En butte à tous ces regards scrutateurs, je sentis mes joues s'enflammer.

À la fin du parcours, je rejoignis mon Inglese. C'était comme dans un rêve. Bientôt nous prononcerions les serments qui nous uniraient à jamais. Déjà, Padre Goffredo prononçait la formule consacrée. J'avais très chaud. Je me sentais fébrile, les nerfs à fleur de peau. Je dus rassembler toute ma volonté pour ne pas m'évanouir. Je tournerai de l'œil plus tard, quand tout sera fini. Mais pas maintenant.

Le Padre Goffredo joignit nos mains. L'Inglese répéta après lui les paroles solennelles :

« *Ego Pompe accipio te Rosa Evangelina in uxorem meam…* »

Soudain, un grand bruit retentit au fond de la *chiesa*. Les portes s'ouvrirent violemment. Tout le monde se retourna pour voir Mauro surgir, à califourchon sur le dos de Carciofo.

« Attendez, j'ai quelque chose à dire », tonna-t-il.

Mauro est si costaud que Carciofo arrivait à peine à le porter, ce qui ne l'empêchait pas d'avancer d'un pas résolu le long de l'allée en pointant fièrement ses petits sabots, conscient de son importance en ce moment historique. L'expression qui se peignit sur le visage de Rosario laissait deviner qu'il s'inquiétait pour son mulet bien-aimé. Quant à Padre Goffredo, il n'appréciait guère de voir cet animal débarquer une fois de plus dans son église. J'étais furieuse que Mauro interrompe mon mariage. Qu'avait-il à dire de si urgent ? Je regardai l'Inglese ; il était cramoisi, sidéré. On aurait dit que Mauro et le mulet n'en finiraient jamais de parcourir cette nef. Le temps s'arrêta. Nous étions comme ensorcelés, incapables de bouger ni d'émettre un son. L'atmosphère était chargée d'électricité. Finalement, le mulet escalada tant bien que mal les marches du grand autel, Mauro mit pied à terre et s'éclaircit la gorge comme s'il s'adressait au jury d'un tribunal :

« J'ai quelque chose à dire à propos de ce mariage. Padre, Rosa ici présente, Rosa Evangelina Fiore, la fiancée, a rencontré cet homme, Pompe Funebri, lui là (il désigna l'Inglese en pointant le menton d'un air méprisant) à Palerme. À la bibliothèque où elle travaillait en tant qu'assistante bibliothécaire, sous les ordres d'un certain Bandiera. Elle possède une assiette commémorative en argent avec son nom gravé dessus. Une récompense pour ses vingt-cinq années de service. Elle est posée sur une étagère du buffet, dans la cuisine. Ce monsieur s'est fait passer pour un chef cuisinier recherchant des manuscrits anciens afin d'écrire un livre de recettes. En fait, c'était un mensonge. Comme la plupart des histoires qu'il lui a racontées. Il ne lui a même pas dit son vrai nom. Mais je continue. Elle a donc accepté de lui donner des cours de cuisine. Et bien sûr, une chose en entraînant une autre, dans la chaleur des fourneaux, ils sont devenus amants : vous voyez le tableau, on se déshabille, on enduit l'autre d'huile d'olive ou de confiture. Désolé, Padre, je n'avais pas l'intention de vous faire rougir.

Bref, un beau jour, Rosa se met dans l'idée de préparer des *braciolettine*. Elle rassemble tous les ingrédients : bœuf, salami, *caciocavallo*, *pecorino*, tomates, raisin, pignons, oignons, etc. Elle les emporte chez lui dans son panier et là, elle découvre qu'il a disparu. Envolé. Sans dire au revoir. Rien. Parti. Comme s'il n'avait jamais existé. Elle est anéantie. Elle manque de mourir dans un incendie qui se déclare dans son appartement. Mais elle ne meurt pas. Elle survit. Ses frères siamois, ceux qui ont été assassinés avant que vous n'arriviez parmi nous, sont venus la chercher pour la ramener à la maison. Peu après, sa mère meurt. Ses autres frères, oui, tous ceux qui sont assis là devant, l'accusent de l'avoir tuée. Elle ne l'oubliera jamais. Donc elle prend en main la gestion de la ferme. Avec le temps, elle commence à se dire que cette histoire avec ce Pompe Funebri n'était qu'une passion sans lendemain, comme un amour de vacances. On connaît, ça nous est arrivé à tous, enfin pas à vous *Padre*, évidemment, mais à nous autres, pauvres pécheurs, c'est sûr. Elle sait bien que dans la vraie vie, leur couple ne marchera jamais. Souvent, elle se demandait : "notre amour aurait-il pu durer au-delà de ce bel été ?" La réponse était non. Forcément. Alors, elle s'est consolée, elle en a pris son parti. Au printemps suivant, c'était l'époque des asperges sauvages. Je suis allé la trouver. Dès l'instant où j'ai posé les yeux sur elle, j'ai su qu'elle était la femme de ma vie. Je l'aime. Et elle m'aime. Oui, bien qu'elle affirme le contraire. Mais c'est plus fort qu'elle, comme la sève qui monte au printemps. Et pile à ce moment-là, alors que nous étions sur le point de nous unir, cet Inglese de malheur, ce

Pompe Funebri se ramène, la bouche en cœur, venant de nulle part, après quatre années de silence. »

Mauro fit une pause. Certains membres de la communauté en profitèrent pour secouer la tête avec tristesse, tousser un coup ou changer de position sur leur chaise. Quelques bébés poussèrent des cris rapidement étouffés. Carciofo se mit à cogner le pavage en marbre de son sabot délicat.

« Eh oui, voilà qu'il rapplique, poursuivit Mauro. Comme un mauvais souvenir qu'on croyait enfoui, il refait surface. La même nuit, Guerra et Pace sont assassinés. Fournit-il une explication plausible à sa disparition ? Non, bien sûr que non. Où a-t-il passé ces quatre années ? Mystère. Il y a eu des *complications*, dit-il. Donc il s'installe chez elle, il passe son temps à ne rien faire, il lui avoue qu'il n'est pas vraiment un chef cuisinier mais plutôt un joueur de cartes. Alors, il traîne, il tire sa flemme, mais la vie à la ferme ne lui convient pas ; il a la phobie des poulets, quand on abat le cochon il s'évanouit et il fait des tas de simagrées à cause de ses cheveux qui tombent : il pense que c'est à cause de l'eau. Il ne sait rien faire de ses dix doigts, ne donne même pas un coup de main pour les récoltes, passe son temps à s'enduire les cheveux avec de l'huile, à enseigner l'anglais à un perroquet et à plumer les gens aux cartes. Après, il lui sert une nouvelle histoire abracadabrante. Il serait un agent secret travaillant pour le FBI, quelque chose dans le genre. Personne dans la région n'est tombé dans le panneau. Mais elle, elle le croit. Il faut dire qu'elle est un peu naïve. Cela fait partie de son charme. Sa logeuse à Palerme avait bien compris qui elle était, et lui aussi elle l'avait cerné, mais la pauvre vieille est morte brûlée vive dans l'incendie. Elle disait que certains hommes savaient profiter d'une fille comme elle, à l'âme aussi tendre et généreuse que son décolleté. Il ne s'est pas gêné. La semaine prochaine, je suppose qu'il lui annoncera qu'il vient de la planète Mars. Et elle y croira. Regardez autour de vous. Voyez-vous un seul de ses parents ? Non. Il doit être le seul homme au monde à n'avoir personne à inviter à son mariage. Que cache-t-il, hein ? Répondez. Nous avons déjà eu un escroc parmi nous, et on sait quels désastres son passage a causés au sein de la famille concernée. »

À ces mots, Giuseppe se mit à sangloter. De nombreux fidèles se signèrent.

Mauro reprit :

« Bon, tout cela c'était histoire de dresser le décor. En fin de compte, je n'ai qu'une seule chose à vous dire : ce mariage ne peut pas avoir lieu. Rosa n'aime pas cet homme. Elle se sent juste redevable envers lui. Au fond de son cœur, c'est moi qu'elle aime. Mais elle est trop têtue pour le reconnaître. »

Le Padre Goffredo murmura :

« C'est vrai Rosa ? As-tu des doutes au sujet du signor Funebri ? Aimes-tu vraiment Mauro ici présent ? »

Tous les yeux posés sur moi me brûlaient comme des charbons ardents. J'étais incapable de regarder l'Inglese.

« Oui, dis-je, je l'aime. Mais j'aime aussi le signor Funebri. Je les aime tous les deux. » Et tout en parlant, je réalisais que c'était vrai.

« Tu ne peux pas épouser les deux, Rosa, me fit remarquer Padre Goffredo.

— Je sais », répondis-je d'une voix plus posée. Dans la *chiesa*, on entendait les mouches voler. Ils étaient tous pendus à mes lèvres. « Quand je suis en compagnie du signor Funebri, je l'aime. Mais quand il n'est pas là… j'ai des doutes. »

Padre Goffredo opina du chef. « Mais mon enfant, si tu as des doutes, c'est que tu n'es pas prête à prononcer les vœux sacrés. Se pourrait-il que tu confondes luxure et amour ? Si tu ne l'aimes que lorsque vous êtes au lit, ce n'est pas suffisant pour fonder un foyer.

— Je sais, *Padre*.

— Rosa, il faut que tu prennes le temps de réfléchir. Je ne peux pas vous administrer le saint sacrement du mariage si tu n'es pas sûre de tes sentiments. Le mariage chrétien est l'union d'un homme et d'une femme. Il n'est pas question d'une troisième personne.

— Je le sais bien, *Padre*, répétai-je comme une enfant qu'on réprimande. Je suis désolée ». Et, me tournant vers l'Inglese, « Vraiment désolée ».

Son visage ressemblait à une boule de papier froissé. Soudain, déchirant le silence plus qu'embarrassé qui régnait dans la *chiesa*, un cri résonna dans le fond. Aventina Valente surgit et se précipita dans l'allée.

« S'il est libre, je l'épouse, brailla-t-elle.

— Lequel ? s'enquit Padre Goffredo.

— Je m'en fiche, répliqua-t-elle. Les deux me plaisent. Je prendrai celui dont elle ne veut pas.

— C'est une honte, s'indigna le curé. On ne traite pas ainsi le saint sacrement du mariage. Celui dont elle ne veut pas ! Vraiment ! Comme si un mari était un lot de consolation. Je propose que vous sortiez tous d'ici et que vous preniez le temps de réfléchir. »

À cet instant, je sentis que mes pieds ne touchaient plus terre. Mauro me souleva et me déposa devant lui sur le dos de Carciofo qui, aussitôt, décolla. C'était hallucinant. Il traversa la *chiesa* en volant. Certes, il ne volait pas bien haut mais il longea l'allée centrale, passa le grand portail puis, arrivé sur le parvis, bondit vers le ciel. J'avais très peur de tomber. Les mains puissantes de Mauro ne me tenaient plus. Je glissai du mulet et j'allai m'écraser sur le sol. Au même instant, je me réveillai.

Quel soulagement ! Ce n'était qu'un rêve. Rien de tout cela ne s'était réellement produit. Mon mariage n'avait pas tourné à la farce. J'avais encore fait un rêve stupide. Bien sûr, certaines personnes disent que les rêves sont l'expression de ce que vous éprouvez réellement. Moi je n'y crois pas. Les rêves que je fais ne sont en général qu'un tas d'absurdités inconvenantes qui, je l'espère bien, ne m'arriveront jamais.

Le jour de mon mariage venait de poindre à l'horizon. Le jour le plus beau de ma vie, diraient certains. Je n'en étais pas si sûre. Évidemment, toutes les futures mariées sont un peu tendues au matin de leurs noces. Rien que de très normal. Les nerfs. En tout cas, mariage ou pas, il était temps de se lever et d'aller nourrir les cochons.

Chapitre cinquante-cinq

J'avais passé ma robe de princesse. Cette fois-ci, je ne rêvais pas. Il y avait la crinoline, le bustier décolleté, brodé de mille perles minuscules, et les longues manches étroites se terminant par des petits points de broderie sur le dos des mains.

J'avais arrangé mes cheveux du mieux possible, Biancamaria Ossobucco m'avait aidée à fixer le voile et la tiare de diamant ; en dessous, j'avais enfilé les sous-vêtements légers que nous avions achetés à la *festa* et les exquis escarpins blancs (trop étroits comme de bien entendu).

Les triplettes étaient à croquer dans leurs petites robes blanches. Biancamaria Ossobucco sanglotait à fendre l'âme. De nouveau, je priai pour qu'elle n'accouche pas aujourd'hui. Du moins, pas avant la fin de la cérémonie.

Avant de partir, je procédai à une dernière vérification. C'était la dernière fois que je quittais la *fattoria* sous mon nom de jeune fille. À mon retour, je serais quelqu'un d'autre : la mystérieuse signora Funebri. Cela me ferait une drôle d'impression, j'avais passé tant d'années à m'appeler Rosa Fiore.

Dans le salon, tout était prêt pour la fête. Les divers plats recouverts, chargés de victuailles, s'alignaient sur les tables. Il y avait là les jolis jambons offerts par Roberta le jour où l'Inglese m'était revenu, que j'avais depuis salés et fumés. Le boudin noir si appétissant trônait en bonne place. Des artichauts garnis, des légumes d'hiver, des salades de citrons et d'oranges parfumées au fenouil et garnies d'olives noires. Au centre, le magnifique gâteau de l'Inglese. En fait, il y en avait deux superposés, un gros en bas et un tout petit au-dessus, perché sur un genre de pilotis, comme une route ne menant nulle part. Il avait recouvert l'ensemble d'un glaçage blanc agrémenté de spirales, d'étoiles et de fleurs.

Je descendis dans la cour. Il faisait froid. Vraiment très froid. Mais il était hors de question d'enfiler un vieux manteau sur cette robe splendide. J'eus envie de dire au revoir aux cochons. En me voyant, ils crurent que je venais leur servir un deuxième petit déjeuner. Ils furent déçus. Les chiens et les chats m'observaient, eux aussi ; ils sentaient qu'il se passait quelque chose d'inhabituel dans la vie de la ferme.

Une voiture entra dans la cour. Une grande voiture. Très propre, rutilante. Avec un chauffeur. Biancamaria Ossobucco s'en était occupée elle-même. J'aurais préféré faire la route en charrette mais elle estimait qu'il faisait trop froid. Nous sommes donc montés à bord, les triplettes, Biancamaria Ossobucco, Rosario et moi, puis nous partîmes en direction de la ville comme si c'était la dernière fois.

A notre arrivée, les cloches sonnaient à toute volée. Le bruit me parut assourdissant, comme si quelqu'un avait poussé le volume au maximum. Tout le monde me dévisageait. Rosario entraîna

Biancamaria Ossobucco en haut des marches. Ils disparurent dans l'église. Le vent amer qui soufflait gonflait mon voile de mariée comme une voile de navire. Des nuages noirs se massaient dans le ciel. Agrippées à leurs petits bouquets, les triplettes me suivaient de près tandis que nous montions les marches et franchissions les portes de la *chiesa*.

DOLCI

(Desserts)

Chapitre cinquante-six

J'avais dû rester longtemps assise dans le fauteuil en velours rose car lorsque je levai les yeux, le jour d'hiver baissait. Les plats du banquet trônaient sur la table, intacts. J'avais horreur de gâcher de la bonne nourriture. Cela dit, il n'y avait rien d'étonnant à ce que les invités aient perdu l'appétit, vu les événements. Les jambons et le boudin se conserveraient. Si on n'arrivait pas à recycler les salades et les pommes de terre, elles iraient nourrir les cochons. Le gâteau tiendrait le coup, avec tout le cognac qu'il contenait. Mais qui le mangerait, désormais ?

J'avais du mal à me déplacer dans cette robe. Il fallait que je l'enlève. Je le ferai bientôt. Après cela, je ne serai plus une future mariée. D'ailleurs, je ne suis pas une future mariée. Je porte une robe blanche, c'est tout. Une future mariée est une femme qui va épouser un homme. Ce qui n'était pas mon cas. Donc j'étais une fausse future mariée.

Dans la *cucina,* Betty m'accueillit d'un sonore :

« Vive la mariée. Grande, grosse, grasse. »

Je soulevai la cage.

« Ne tirez pas, claironna le perroquet. Je suis un agent du FBI. »

Sans le bousculer, je le portai dans la cour. L'heure était venue. J'ouvris la petite porte grillagée mais Betty redoutait de sortir, avec ce froid. Je dus le prendre dans ma main. Il me parut tout petit. Quelle disproportion entre son corps rachitique et sa personnalité envahissante !

« Adieu, mon amour », cria-t-il en s'envolant.

Comme je le regardais s'éloigner, un taxi s'arrêta devant le portail. Un taxi. Il venait de Palerme. Un instant, je craignis de revoir débarquer Rivoli. Mais non, c'était le docteur Carmine Luni, le dentiste de la grosse Patty May Freeway. Ayant reçu un câble lui demandant de se présenter de toute urgence, il était parti en toute hâte, muni d'une fausse incisive censée remplacer celle que sa patiente avait perdu le jour de l'éruption. Malgré sa maigreur, ses vêtements en lambeaux et l'énorme barbe qui mangeait son visage pâle, il tenait sa sacoche d'un geste solide et fier. Dans le coffre du taxi, il y avait une bouteille de gaz hilarant légèrement cabossée. Américain issu de parents originaires d'Agrigente, il parlait un peu notre langue. Quand je lui expliquai que Patty May avait regagné Chicago voilà plusieurs mois, avec un trou dans la mâchoire, il s'excusa pour le retard. Son navire avait fait naufrage à l'ouest des Açores et il avait passé cent cinquante jours seul sur un promontoire rocheux, avec de la pâte dentifrice pour seul aliment. J'étais sincèrement navrée pour lui mais que pouvais-je y faire ? D'un ton résigné, il demanda au taxi de le ramener à Palerme, me fit un signe d'adieu et disparut.

J'étais encore perdue dans mes pensées quand Mauro entra dans la *cucina*. Il me souleva comme une poupée et me jeta sur son épaule.

« Tu ne le regretteras pas, dit-il. Je ne te donnerai jamais aucune raison de le regretter. » Joignant le geste à la parole, il me porta au premier étage, dans ma chambre.

Chapitre cinquante-sept

La journée que je viens d'évoquer remonte à deux ans. Mauro avait dit vrai : il ne m'a jamais fourni la moindre raison de regretter ma décision. Toutefois, je n'étais pas très à l'aise. L'Inglese n'avait pas mérité l'affront que je lui avais infligé en annonçant devant tout le village que j'en aimais un autre en secret.

Au cours de ces deux années, Biancamaria Ossobucco a bien sûr accouché, mais pas tout de suite, comme je l'avais craint. Ça se passa plus tard, presque un an jour pour jour après le meurtre tragique des jumeaux et son remariage. De quoi faire taire les mauvaises langues qui auraient aimé jeter le doute sur son honnêteté. J'aidai à l'accouchement, mais cette fois-ci je me contentai d'assister Ombretta Gengiva. Les bébés n'étaient pas collés, comme l'avait craint Biancamaria Ossobucco. Trois garçons. Selon la tradition, ils reçurent mon prénom, qui était aussi celui de leur père : Rosario, Rosio et Rosalmo. C'étaient les plus charmants, les plus adorables chérubins que l'on puisse imaginer, en dehors de mes nièces bien entendu.

Après cet heureux événement, Sophia Baci donna le jour à un garçon, un seul mais un gros, qu'elle appela Geronimo. Quand je rendis visite à la mère et au bébé, peu après la naissance, on aurait dit qu'elle brillait de l'intérieur tant elle paraissait comblée. Je crois qu'elle n'avait jamais vraiment connu le bonheur avant ce jour. J'étais si contente pour elle que je n'arrêtais pas de pleurer.

Aujourd'hui, je m'occupe de la ferme avec Mauro. Nous travaillons ensemble, vivons ensemble, faisons l'amour ensemble, cuisinons ensemble. Nos liens sont tout ce qu'il y a de solide, de sain, de tangible. Je ne connais plus les hauts et les bas qui étaient mon lot quotidien à l'époque où je fréquentais l'Inglese.

Je me sens bien presque tout le temps, je souris. Souvent je me mets à chanter sans autre raison que l'envie de chanter.

Mauro voulait qu'on se marie pour que notre amour soit consacré par l'église et que ce soit bien clair pour tout le monde. Moi, je n'étais pas d'accord. Ma première tentative de mariage s'était soldée par un échec. Nous étions heureux ainsi. La bénédiction de Padre Goffredo n'aurait fait aucune différence. J'aurais bien aimé que Donna Magnolia vienne s'installer à la *fattoria* mais elle préférait rester dans sa petite ferme, de l'autre côté du volcan. J'espérais qu'un jour elle changerait d'avis. Mauro aussi espérait qu'un jour je changerais d'avis.

Honnêtement, l'Inglese m'était presque sorti de l'esprit. Dans les moments de flottement, il m'arrivait de revoir son image. Une image si floue, si lointaine qu'elle me laissait dans l'incertitude. L'Inglese avait-il existé ? Faisait-il partie d'un rêve ancien ? L'avais-je créé de toutes pièces ?

Mais très vite, une bande de petits perroquets verts me fournirent la réponse. Betty avait trouvé une compagne et fondé une grande et belle famille. Le fait qu'ils parlent tous anglais m'aida à prendre conscience que l'Inglese n'était pas qu'un fantasme.

« J'appartiens au FBI », piaillaient-ils jusqu'à ce que Mauro menace de leur trouer la peau.

Puis, du jour au lendemain, alors que je nageais dans le bonheur, je tombai malade. Au fond de moi, je compris que j'allais mourir.

Comment pouvais-je abandonner mon Mauro après avoir mis tant de temps à le trouver ? Mon cœur se serrait à l'idée de cette prochaine séparation. Sa présence était comme un nuage de douceur autour de moi. Il avait embelli ma vie. Je l'aimais de tout mon être ; aucun doute n'était permis. J'aimais son esprit, sa gentillesse, sa chaleur, le regard qu'il posait sur le monde, son humour, son intelligence, sa façon de s'exprimer, son pragmatisme et sa persévérance, sa générosité, ses talents de cuisinier, l'affection qu'il suscitait chez autrui – dans la région, personne ne disait jamais du mal de lui. Au lit, il me comblait totalement. J'aimais son corps, la manière dont il faisait vibrer le mien, son visage, son sourire, ses grandes mains d'honnête homme, même ses oreilles. J'avais cru que nous resterions ensemble pour toujours, que nous vieillirions côte à côte. Je nous voyais, courbés et bancals, marcher sur les routes, la main dans la main. Je nous entendais discuter de sujets passionnants, jusqu'à plus soif. Et rire ensemble et cuisiner des repas délicieux, l'un pour l'autre. Nous ferions toujours l'amour dans le silence de la nuit et même si je vivais jusqu'à cent ans, je continuerais à me réjouir, à m'émerveiller de découvrir son doux visage près du mien, en me réveillant chaque matin. Mais ce n'était qu'une vue de l'esprit. Tout cela n'aurait jamais lieu. J'allais mourir et le laisser seul. Et quand j'imaginais sa silhouette sombre penchée sur ma tombe battue par la pluie aux prochains *Murticieddi*, mon cœur se brisait en mille morceaux.

Je souffrais le martyre quand je pensais à mes nièces, au nombre de cinq à présent, que jamais je ne verrais grandir et devenir de belles femmes solides.

Quand je regardais la ferme tout autour, je n'arrivais pas à accepter que le temps et les saisons passent sans moi. L'année prochaine, je ne serais plus là pour humer dans la brise le parfum des fleurs d'oranger. Privé de mes tendres attentions, mon potager redeviendrait un simple lopin de terre en friche. Je ne sentirais plus la caresse du soleil sur ma peau, je ne participerais pas à la récolte des pêches, à la fabrication du *'strattu*, au pressage des olives. Le joyeux babil des cochons se poursuivrait sans que je l'entende et, quand viendrait l'heure, un autre que moi se chargerait de l'abattage, du salage, de la confection des jambons. Quelle tristesse de ne plus pouvoir plonger mes deux mains dans les grumeaux de ricotta pendant la fabrication du fromage. Tant de choses me manqueraient, tant de choses me retenaient sur cette terre. D'heureuse, je devins triste.

Bien sûr, Mauro se faisait du souci pour moi, surtout quand je perdis l'appétit et tout intérêt pour la nourriture. Il essaya bien de me tenter en me préparant mes plats favoris : de la cervelle de veau dont il savait que je raffolais ; des sardines grillées ; des fleurs de courgettes fourrées à la ricotta, le fin du fin ; des pissenlits en salade, excellents pour le foie ; même le bouillon de poule à la *pastina*, qu'on sert aux malades, me retournait le cœur. Je devins mince pour la deuxième fois de ma vie (la première c'était à l'hôpital, après l'incendie). J'avais le teint gris. Parfois mon corps refusait de quitter le lit. Je n'avais jamais rien ressenti de tel.

Voyant que sa thérapie culinaire avait échoué, Mauro me poussa à consulter le Dr Leobino. Je n'en fis rien. J'ai honte de l'avouer mais j'ai peur des médecins. Je n'ai jamais vu le Dr Leobino pour moi-même. De toute façon, je savais qu'il ne ferait que confirmer la terrible vérité et je n'avais aucune envie de l'entendre. Pas encore. Chaque chose en son temps.

Un jour, je descendais les marches de la *cucina* pour aller nourrir les cochons quand je sentis mes jambes se dérober sous moi. Tout devint sombre. Malgré ma farouche opposition, il fallut bien appeler le docteur.

Chapitre cinquante-huit

Lorsque je rouvris les yeux, le Dr Leobino flottait devant moi comme un requin dans un aquarium. Je refermai aussitôt les paupières et fis semblant de dormir pour ne pas l'entendre prononcer l'effroyable sentence.

« Rosa, dit-il, tu m'entends ?

— Non, mentis-je.

— Allons, Rosa, tu ne vas pas aussi mal que tu l'imagines. »

Je l'observai entre mes cils.

« Ah bon… ?

— Non. Tu ne vas pas mourir. Tu vas avoir un bébé.

— Mais c'est impossible, hoquetai-je. J'ai cinquante ans.

— Tu es enceinte, confirma-t-il. Depuis le temps que j'exerce, j'en ai vu des femmes enceintes et, crois-moi, tu as tous les symptômes. »

Donc je n'allais pas mourir, tout compte fait. J'allais avoir un enfant. Je restai allongée dans mon lit, pour réfléchir. Je ne me rappelle pas avoir jamais éprouvé une telle stupéfaction.

Chapitre cinquante-neuf

Peu après, Mauro et moi nous mariâmes. Je sais, j'avais dit que le mariage n'entrait pas dans mes projets mais nous tombâmes d'accord sur le fait que c'était mieux pour le bébé. J'étais tellement contente de ne pas avoir de maladie mortelle que j'aurais fait n'importe quoi pour confirmer mon retour à la vie.

Je sais, j'ai dit plus haut qu'il n'y avait pas de mariages discrets par chez nous. Pourtant le nôtre le fut. Nous ne voulions pas de grands tralalas, ni l'un ni l'autre. Je mis mon tailleur bleu marine – très élégant – et des chaussures rouges à hauts talons. Rouges ! Vous imaginez. Il y avait à manger et à boire à profusion. Mauro s'était occupé du buffet car certaines odeurs m'écœuraient. Je rendais tout, à part les *cassateddi di ceci*, les petits beignets sucrés aux pois chiches que nous ne mangeons qu'en mars, pour la fête de San Giuseppe.

Les invités se réjouirent pour nous. Nous formions un beau couple, paraît-il. Ils le savaient depuis le départ, à les entendre, mais j'avais été trop obstinée pour m'en rendre compte. M'entendre dire, à l'âge de cinquante ans, que tout le monde sait mieux que moi ce qui me convient a quelque chose de rassurant.

Donna Magnolia a fini par emménager dans la maisonnette que Rosario occupait autrefois. Elle refusait d'habiter la *fattoria* au prétexte que deux femmes ne peuvent partager une cuisine. Je pense qu'elle avait raison. Elle voulait profiter le plus possible du bébé car elle savait que ses jours étaient comptés. En effet, elle prédit un jour sa mort pour le 27 janvier, encore qu'elle ne sache pas de quelle année. J'espérais que ce 27 janvier-là n'arriverait que dans un avenir très lointain et j'étais enchantée qu'elle s'installe auprès de nous. Je me rappelais très bien la prédiction qu'elle m'avait faite, le soir de l'éruption. Elle avait parlé d'un enfant à naître. À l'époque, j'ignorais qu'il s'agissait du mien.

Peu après son arrivée, le bébé décida de venir, lui aussi. Ce fut par une nuit de printemps qu'embaumait l'odeur douceâtre des amandiers en fleur. Les couples de colombes nouvellement unis roucoulaient dans leurs nids. Biancamaria Ossobucco se tenait à mes côtés (elle s'appelait maintenant Biancamaria Bufalino mais je ne pouvais me résoudre à l'appeler autrement que Biancamaria Ossobucco) quand Ombretta Gengiva débarqua ; il aurait été impensable de la mettre à la porte. Hélas, elle avait la langue aussi bien pendue que sa mère.

« Tu sais, Rosa, hier une femme de Malvagna a donné le jour à un singe. »

Biancamaria Ossobucco et moi avons fait semblant de rien.

N'ayant pas besoin d'encouragements, Ombretta poursuivit sur sa lancée :

« Mais oui, je le tiens d'Isotta Tripotto qui le tient de Monima Botta qui dit l'avoir vu de ses propres yeux. Elle était à Malvagna pour aider sa sœur mariée Galena à préparer des gâteaux. Pendant qu'elles pilaient les amandes, elles ont entendu les cris de la pauvre femme, de l'autre côté de la rue. Alors elles ont tout laissé en plan pour aller voir de quoi il retournait. Elles sont arrivées les premières sur les lieux, du coup elles ont tout vu. C'est comme je vous le dis : elles ont vu le singe se balancer, accroché au châlit par la queue. Il avait une fourrure brune épaisse, des longs bras, des doigts horribles, des oreilles et un museau affreux. Bref, un singe. La jeune mère a aussitôt perdu l'esprit. Elle a fait une crise de nerfs et s'est coupé la langue avec les dents. Le mari, lui aussi, est devenu fou. Quand il a vu la bête qu'il avait engendrée, il a pris son fusil et se serait tiré une balle dans la tête si Monima Botta ne lui avait pas arraché l'arme des mains. »

Bien sûr, je ne croyais pas un mot de tout ce galimatias mais le fait d'écouter gazouiller Ombretta Gengiva me faisait un peu oublier la douleur. En revanche, Biancamaria Ossobucco qui, je l'ai déjà mentionné, est une âme crédule, enchaînait les signes de croix.

« Tu fais bien de te signer, ma sœur, renchérit Ombretta Gengiva. Car à mon avis, il s'agit là d'un mauvais présage. Mamma me parlait souvent du jour où elle avait mis au monde tes premiers maris, dans cette maison même. "Deux crânes et un seul corps. Tu n'imagines pas la tête d'Isabella Fiore quand elle les a découverts", qu'elle disait. Angela Forbicina a fait la même tête quand elle a accouché de ses siamois, et j'étais là pour le voir. »

Sans prendre le temps de respirer, Ombretta Gengiva rebondit :

« Isabella n'était pas la première Fiore à accoucher d'un monstre. Carmela Fiore, ton arrière-grand-mère, a engendré une créature dotée d'écailles et de branchies comme un poisson. Un poisson mort-né, bien sûr. Une pareille abomination ne peut pas survivre. Le chat a profité de l'affolement pour entrer par la fenêtre, choper la chose au passage et l'emporter pour son souper.

— Ombretta Gengiva, dis-je horrifiée, comment peux-tu colporter de telles ignominies ?

— Ce ne sont pas des ignominies, répliqua-t-elle offensée. Je tiens cette histoire de ma Nonna. C'est elle qui a sorti le monstre en le tenant par sa queue de poisson. Tu sais, Rosa Fiore, je pourrais te raconter des trucs à te faire tomber les cheveux par poignées.

— Je préfère les garder sur ma tête », déclarai-je, ce qui ne l'empêcha pas de continuer à répandre ses horreurs jusque tard dans la nuit. Sa voix se confondait avec les pas de Mauro qui arpentait le couloir, l'aboiement lointain d'un chien et, quand la douleur devint trop forte, mes propres hurlements à moitié assourdis.

Quand vint le matin, j'étais mère d'un magnifique garçon. Normal et unique. Il avait déjà toutes ses dents, comme moi à son âge. Signe de chance, dit-on chez nous. Il avait de grands yeux noirs et le corps si large qu'il était presque carré : le portrait craché de son père. Nous le prénommâmes Maurito.

Jamais la réussite d'une recette compliquée ne me procura autant de joie et de fierté que ce petit être. Je le dévorais des yeux, je m'émerveillais d'avoir créé cette perfection : ces doigts, ces orteils, ces lèvres, ce nez, ces joues, ces cils minuscules, et cette odeur suave dont je m'emplissais les poumons. Le grand Mauro pleurait comme une fontaine, refusant de reposer son fils dans son berceau. Il lui fit visiter la maison tandis que Donna Magnolia poussait des gloussements de mère poule et proclamait à tous ceux qui l'écoutaient que sa prédiction s'était réalisée dans les moindres détails. Seules les petites Rosa faisaient triste mine, jalouses de devoir partager Zia Rosa avec ce gros bébé débarqué pendant la nuit. Des bébés, elles en avaient par-dessus la tête avec leurs nouveaux frères. Si on les avait laissées faire, elles les auraient tous enfermés dans la porcherie avec les cochons. Comme de bien entendu, Biancamaria Ossobucco, cette âme sensible, ne s'arrêtait de pleurer que pour s'évanouir et inversement. Mon père Rosario, le simple d'esprit, ne se tenait plus d'orgueil. Carciofo lui-même faisait un raffut de tous les diables, encore que j'ignore s'il braillait de joie ou parce qu'il avait mal aux dents.

Pour finir, je dois ajouter ceci. Le même matin, la première asperge sauvage pointa son nez. Cela faisait trois ans exactement que Mauro était arrivé parmi nous. Nous étions vendredi. Le facteur m'apporta une enveloppe oblitérée de Chicago. À l'intérieur, pas de lettre, juste une coupure de journal, rubrique des annonces matrimoniales : « Mrs Aventina Valente Fiore de Near North Side, Chicago, veuve de Mr Luigi Fiore, et Sir Pomfrey Farquason-Fortiscue, Baronet, de Cragievar Castle, Aberdeenshire, Écosse, annoncent leur intention de se marier le 20 mars. »

Ainsi donc l'Inglese et Aventina Valente s'étaient mis ensemble. Leur mariage avait été célébré de l'autre côté de l'océan le jour même de la naissance de Maurito. La vie est parfois étrange, vous ne trouvez pas ? L'histoire de l'Inglese était bel et bien terminée. J'ai collé la coupure de journal dans mon album puis l'ai refermé et je l'ai rangé quelque part.

Composé par PCA à Rezé

Cet ouvrage a été achevé d'imprimer
sur Roto-Page
par l'Imprimerie Floch à Mayenne
pour le compte des Éditions Grasset
en mars 2013

N° d'édition : 17671 – N° d'impression : 84527
Dépôt légal : mai 2013
Imprimé en France